世界でいちばん素敵な

理科の教室

The World's Most Wonderful Classroom of Elementary Science

はじめに

"理科"って何?　と思う人は多いかもしれません。

理科とは「数学以外の自然科学の内容をまとめたもの」です。

では、自然科学とは何でしょう。自然科学とは「自然（人為的でないもの）に属するあらゆる対象の法則性を明らかにする学問」です。「あらゆる対象」とは、素粒子や原子などの小さいものから、宇宙や星といった大きいものまですべてを捉えています。この自然科学のなかに「生物学、物理学、化学、地球科学（地学）、天文学」という分野があるのです。

つまり"理科"とは、自然界の法則を学ぶための学問ということになります。

それに応じて、小学校理科の学習指導要領では、『自然に親しみ、理科の見方・考え方を働かせ、見通しをもって観察・実験を行なうことなどを通して、自然の事物・現象についての問題を科学的に解決するために必要な資質・能力を育成することを目指す』という目標が提示されているのです。

「科学する心」、それは身のまわりにある自然の現象を自分の手で確かめることからはじまります。自然のなかにある不思議な現象や規則性を発見する喜びはとてもすばらしいものです。「発見する喜び」から「豊かな発想」が生まれ、それをくり返すことにより「科学する心」が育っていきます。初めて見たもの、行ったものは強烈な印象として心に残ります。それは「またやってみよう」という意欲を生み、その蓄積が「ものの見方・考え方を養う」ことにつながります。《おもしろいことは夢中になる。夢中になるからやめられない》。こうした体験が実はいちばん大切で、それがたくさんあることが「科学する心」を育てる重要なファクターになるのです。

この本には、そういったワクワクするような身近な不思議が満ち溢れています。普段何気なく思っていたことや疑問のなかに潜んだ秘密を解き明かすドキドキ感もあります。

ひとつひとつのエピソードに興味を持ったら、実際にやってみたり、さらに調べてみたり、自らそのことに挑んでみましょう。それこそが「科学する心」そのものなのです。

麻布科学実験教室　室長　阿部昌浩

Contents

tg²α 目次 $\frac{1-\cos2\alpha}{1+\cos2\alpha}$

$S=v_0t+\dfrac{at^2}{2}$

$\begin{cases}S=2\pi RH\\V=\pi R^2H\end{cases}$

$ax^2+bx+c=0$

$y=\cos x$

$(\sin x)'=\cos x$

Q

お風呂で
指がしわしわになるのは、
なぜ？

温泉やお風呂に入ると指先な
どがしわしわになりますが、濡
れたものをつかみやすくするた
めという説があります。自動車
のタイヤの溝が路面の水をか
きだして、路面をしっかりとつ
かむことで濡れた路面でもす
べることなく走ることができる
仕組みと同じです。

A
最新の説では、濡れたものを
しっかりつかむためとされています。

2013年に、濡れたものをしっかりとつかむために指先がしわしわになるという新しい説が、イギリ
スの研究チームによって発表されました。しわによって、水がしわの間を逃げてものをしっかりと
つかめるようになるという説です。

手の平の皮膚は
何層にも重なっています。

お風呂やプールなどに長い時間入っていると、手や足の指がしわしわになりますが、
手や足の指以外はしわしわになりません。
老化によるしわとは違うので、乾燥すれば元に戻ります。

Q 水でしわができる仕組みを教えて！

A 神経の働きが関係しているなどの説があります。

皮膚の表面にある角質層が水分をたくさん吸収してしわしわになる説のほか、指先の皮膚の外側部分には血管
や神経が通っていないため水を吸いやすいとする説などがあります。近年の研究では、お湯にかかると自律神経
の働きで指先の血管が縮まり、表面の体積に差がでるためともいわれています。

ケガなどで指の神経が切れてしまうと、濡れてもしわしわにならないという報告もあるそうです。

② 乾いているときには しわしわにならないのは、なぜ？

A しわがないほうが感覚が鋭くなるからです。

例えば、しわしわの指で針先を触るのと、乾いている指で触るのとでは、反応に差がでます。

③ 指紋の模様には、どんな種類があるの？

A 大まかに4種類あります。

指紋は、「渦状紋」「蹄状紋」「弓状紋」「変体紋」の4種類に大まかに分けられています。日本人の50%は、渦状紋といわれています。ヨーロッパやアメリカでは蹄状紋が多く、60%を占めています。指紋は、胎児のころからできあがって人は生まれてきます。成長とともに指紋は増えて、20歳をすぎたころから減っていきます。

渦状紋（かじょうもん）　　蹄状紋（ていじょうもん）　　弓状紋（きゅうじょうもん）　　変体紋（へんたいもん）

④ ケガをすると指紋は変わるの？

A 元通りに修復されます。

指先の皮膚が焼けたり、はがれたり、整形手術をしたりしても指紋は元通りとなって修復されます。指紋は変えることができないのです。

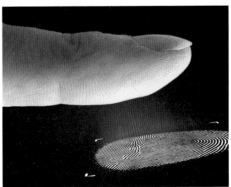

指紋は、母親の胎内にいる5か月くらいから
形成がはじまり、生まれてきたときには指紋は
できあがっています。

Q

指の関節やひざが
ポキポキと鳴る音は何?

A

関節のなかの滑液の気泡が
はじける音です。

関節は、滑膜(滑液を分泌し吸収するところ)、滑液(関節の動きを滑らかにする液)、関節軟骨(こすれ合う骨を保護する組織)を、関節包(関節を包む袋状のもの)で包んでいます。関節を曲げると、関節包の圧力が下がり、気泡が発生します。これがはじけて音が鳴るのです。気泡がはじけるときには負荷がかかっているので、自分で鳴らすのはあまり良くないといわれています。

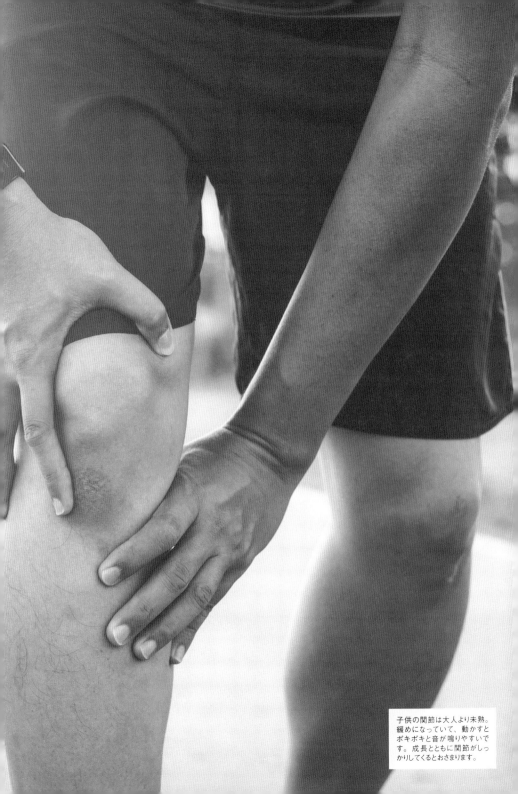

子供の関節は大人より未熟。
緩めになっていて、動かすと
ポキポキと音が鳴りやすいで
す。成長とともに関節がしっ
かりしてくるとおさまります。

関節を曲げたときに鳴る、 あのポキポキ音の正体。

関節がポキポキと鳴るのは、滑液のなかの気泡がはじけているからです。
意外にもこの研究が発表されたのは近年になってからでしたが、
鳴らすのは良いことか、悪いことかと長い間、議論されていました。

① 滑液って、どんな役目があるの？

A 軟骨の動きを滑らかにします。

骨の摩擦を減らしたり、軟骨の動きを滑らかにしたりします。また栄養にも関わります。軟骨には血管がないので
滑液で栄養を届けているのです。

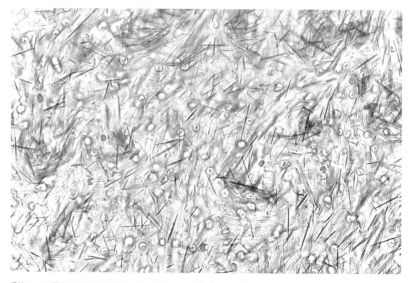

滑液は、この写真のような無色や淡黄色の色味をしていて、粘り気のある液体です。ヒアルロン酸やたんぱく質を含んでいます。

② 連続して音が鳴らないのはなぜ？

A 気泡がたまるのに時間がかかるからです。

③ Q ポキポキと鳴らし続けると、指が太くなるって本当?

A ならないといわれています。

アメリカの研究者ドナルド・L・アンガーが60年間、「左手の指を鳴らし、右手は鳴らさない実験」をしたところ、太さは変わらなかったと発表しています。この研究は2009年にイグノーベル賞を受賞しました。指の関節以外にも、ひざ、首、腰などで同様に音が鳴りますが、とくに首は脊髄や大切な神経が通っている大事なところなので、鳴らすのは控えるようにしたほうがいいでしょう。

関節を鳴らすと気持ちが良かったり、こりがほぐれた気がしたりするので、ついつい鳴らしてしまいますが、実際にこりがほぐれることはありません。

④ Q 関節が鳴る原因が解明されたのはいつ?

A 2018年です。

2018年、科学専門誌『Scientific Reports』にフランスのアブドゥル・バラカトが、関節が鳴ることについての研究論文を掲載しました。科学者たちの間で、長いこと関節の音が鳴ることについて議論が続いていましたが、関節を鳴らすところをMRIで観察し原因を突き止めました。

関節が鳴ることについては、100年以上前から気泡がはじける音と推測されていたものの、研究価値がないとして科学的に調べる人はいませんでした。

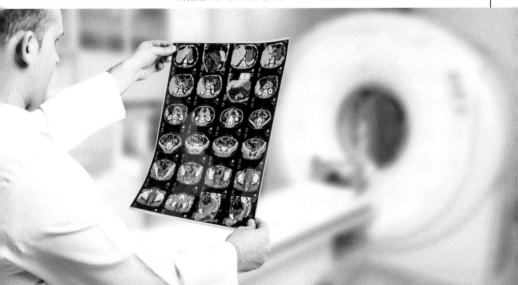

Q
陸にいる動物は、
みんな肺呼吸なの？

A
基本的に、肺呼吸ですが、
肺呼吸でない動物もいます。

人間を含む、哺乳類は基本的に肺呼吸で、体温を保つために、自分で熱を
つくる必要があります。そのためには、大量の酸素が必要です。

深呼吸をすると、体も心もリ
ラックスし、血のめぐりもよくな
ります。鼻から吸って口から吐
き出し、さらにお腹の深いとこ
ろに空気を入れるイメージでお
腹を膨らませるようにすると良
いでしょう。

人間も動物も魚も昆虫も、
生きるために呼吸が必要です。

人間も、動物も、魚も、昆虫だってもちろん呼吸をしています。
ところが、呼吸の仕方は、それぞれに違います。
人間は、1日にどのくらい呼吸しているのでしょうか？

えら呼吸について教えて！

A　酸素をえらで取り込みます。

肺呼吸とえら呼吸、実は仕組みは同じです。人間には、えらがないのでえら呼吸はできません。えらのある魚は、
水中の酸素をえらで取り込み呼吸をしているのです。

魚は基本的にえら呼吸です。カエルなどの両生類は、幼生のころはえら呼吸、成体になると肺呼吸をします。
両生類でもウーパールーパーは例外で、えら呼吸のまま成体になります。

昆虫も肺呼吸なの?

A 肺がないので、肺呼吸ではありません。

昆虫には体の横側に気門という孔があり、そこから空気を吸います。気管を通して体内に酸素が行きわたると、不要な二酸化炭素を気門から吐き出します。気門の場所や数は、昆虫によって異なり、胸や腹のところにいくつかあります。ここで呼吸をしているので、ふさがれると呼吸ができなくなってしまいます。

 1日にどのくらいの空気を
人間は吸っているの?

A 体重50kgの人で、約14,400リットルです。

体重50kgの人は、1回の平均換気量(気道と肺に出入りする量)が約0.5リットルで、1日に呼吸する回数は約28,800回です。その空気量は約20kgで、500mlのペットボトル約28,800本分になります。

 あくびをすると涙が出るのはなぜ?

A 涙のうが刺激されるからです。

涙は、涙腺で作られて鼻と目の間にある涙のうに貯められます。そこから鼻のほうに流れていきます。あくびで、顔の筋肉が大きく動くことで、涙のうが刺激されて涙が出てくるのです。

あくびがうつることがあるのは、その相手に共感しているからという説が有力です。人があくびをしていると犬にもうつってしまうことがあるのも研究者によって証明されています。

コアラの睡眠時間は1日18〜20時間。主食であるユーカリの葉は繊維質で毒素が強いので分解するのに体力を使います。そのため長時間の睡眠が必要になります。

Q

動物の睡眠時間って どのくらい？

A

動物によって、さまざまです。

動物によって睡眠時間は異なります。キリンは1日1.9時間、コアラは20時間、猫は12.1時間、犬は10.6時間といわれます。草食動物は、睡眠時間が短い傾向がありますが、栄養価の低い草を大量に食べるために時間がかかることや、肉食動物などに襲われる危険性が常にあるためと考えられています。動物園などの安全な場所にいると、睡眠時間が長くなるという調査もあります。

飛びながら寝たり、
泳ぎながら寝たり。

気持ちよく寝ている動物たちの姿は、見ているだけで癒されます。
短い睡眠時間の動物もいれば、
1日の大半を寝て過ごす動物もいます。

① 渡り鳥は、いつ寝ているの？

A 熟睡しながら飛ぶことができます。

渡り鳥は、脳の半分を休ませ、残り半分を活動させることができると推測されていました。しかし、2016年にドイツのマックス・プランク鳥類研究所が渡り鳥の脳波を測定したところ、完全に熟睡しながら飛んでいることがわかりました。つまり、飛行機の自動飛行モードのように飛ぶことができるのです。

渡り鳥は近年の研究で熟睡しながら飛べることがわかりましたが、脳を半分休ませ、残り半分を活動させる動物にイルカやクジラがいます。水面で呼吸をする必要があるので、脳の半分は活動しています。

② 昆虫も寝ることはあるの？

A 寝ている証拠はあります。

昆虫は寝ているのか休んでいるだけなのかわかりにくいものです。キイロショウジョウバエは、特定の時間にじっと動かなくなることがわかっています。クマのように冬眠状態になるときは、幼虫も成虫も寝ているといってもいいでしょう。暑い季節には夏眠をする昆虫もいます。ハチは、夜に枝などに止まって寝ています。

③ 魚はどうやって寝るの？

A 夜に寝るタイプ、泳ぎ続けて寝るタイプ、
昼に寝るタイプがいます。

夜に寝るタイプは、ベラやブダイなど。日が沈むと砂に潜って寝ています。泳ぎ続けながら寝るタイプは、カツオやマグロなどの回遊魚。群れの中心にいる魚がまわりの仲間に囲まれながら泳ぎつつ寝ています。その後、ほかの仲間と交代します。昼に寝るタイプは、アナゴやウナギ、ハモなど。夜行性の魚たちは、夜に活動して昼間は寝ています。魚にはまぶたがないので、実際に寝ているのかどうかは見てもわかりにくいですが、魚たちも寝てはいるのです。

魚が寝るときは、岩陰などに隠れて寝ています。

④ 犬も夢を見るの？

A 見ているようです。

犬は寝言をいいながら、手足や顔や耳を動かすことがあります。寝言の理由は夢を見ているからと考えられます。睡眠時に夢に関する脳の部分が活動していて、寝言をいっていることがあります。寝ているときは、意識的に筋肉に力を入れて動かすことができないため、こもった声で「ワンワン」「アフッアフッ」と吠えることが多いようです。

犬は、寝ぼけて走り出したり、立ってボーッとしたり、つまづいて転びそうになるなど人間のような仕草をすることもあるそうです。

Q

カラフルな魚が多いのはなぜ?

暖かい南の海にはサンゴ礁が
あり、植物プランクトンが少な
いので海の透明度が高くなりま
す。魚たちはカラフルな色
味をしていることで、サンゴ礁
の背景に溶けこむことができ
るのです。

A
保護色、警戒色、
識別色の効果のためです。

水族館などで見る魚はとてもカラフルです。カラフルな魚の多くは、熱帯
魚です。熱帯魚は、サンゴ礁などに住んでいるため、カラフルな色である
ことが保護色となるのです。派手な色味の魚は毒をもった種類が多く、カ
ラフルにすることで、毒があることをアピールしています。また、同じようなカ
ラフルな色味をしていると、同じ種類の見分けがつきやすくなり、繁殖相手
を探すのに役立ちます。仲間だと識別しやすくなるのです。

赤い魚もいれば青い魚も……、
魚の色の不思議のあれこれ。

赤い魚、青魚、白身魚など、魚の色はとてもカラフルです。
熱帯魚には、オレンジや黄色、白黒のしましまのものなどもいます。
ここでは魚の色に注目してみましょう。

Q 赤い魚が多いのはなぜ？

A 海のなかでは、赤が保護色になるからです。

マダイ、キンメダイ、キントキなどは赤い魚です。赤は派手で目立つと思われがちですが、海のなかでは、太陽光のうち波長の長い赤色が減るため、深くなるほど赤色が発色しにくくなっていきます。そのため、海の中では赤は派手ではなく、保護色となるのです。

マダイは、甲殻類やエビ、カニなどを食べているので、甲殻類に含まれるアスタキサンチンをいう赤い色素を吸収し、赤い色味になっていることがあります。

② 青魚の青も保護色なの？

A 海の色に溶け込む
保護色です。

アジ、イワシ、サバなどは青魚と呼ばれますが表層の近くで群れて遊泳しています。海上からは海の色に溶け込み、海中からは海面の光に溶け込んで見えにくくなり、保護色となっているのです。

背側が青く、腹側が銀白色の
魚を青魚と呼びます。

③ 赤身魚の身が、赤いのはどうして？

A 赤い色素のたんぱく質が含まれているからです。

マグロ、カツオ、サバなどの赤身魚は、常に海中を回遊する回遊魚です。酸素を大量に使って常に動くために、ミオグロビンやヘモグロビンなどの赤い色素たんぱく質が筋肉に入っています。そのため赤いのです。白身魚は、瞬発的に動くため、色素たんぱく質が少なく白い色をしています。

赤身は、脂肪が多いのでやわらかく
濃厚な味がします。白身は、身がし
まっていて淡白な味がします。

④ イカやタコって、
どうやって体の色を変えるの？

A 体の表面の色素細胞で色を変えています。

イカやタコの仲間は皮膚の色を変えることができますが、色素細胞という器官を持っています。色素細胞は、色を持った弾性のある小さな袋でできていますが、それを広げたり、縮めたりすることで色を変えることができるのです。

Q

昆虫の殻が
硬いのはなぜ?

A

骨の代わりに
体を支えるためです。

昆虫は無脊椎なので、骨がありません。骨がない体を支えるために
外骨格があるのです。とくにカブトムシなどの甲虫の外骨格は、爪で
つつくと、コツコツと音がするくらい硬く甲虫が死んだあと中身が空洞
で殻だけ残っているということもあります。

カブトムシは「力持ち」のイメージがあるかと思います。カブトムシは自分の体重のおよそ20倍の重さのものを引っ張ることができます。

飼うことはあるけれど、意外と知らない昆虫の不思議。

昆虫を家で飼ったりすることもある日本は、
世界のなかでは実はちょっとめずらしい国です。
古来より虫の音を風流として好んでいたからでしょうか。

① 羽化したときはやわらかい殻が、どうやって硬くなるの？

A キチンなどにより硬くなります。

羽化したあとや脱皮したあとなどの昆虫の殻はやわらかいのですが、時間がたつと、キチン、たんぱく質、炭酸カルシウムなどにより、だんだんと硬くなります。これらは人の髪の毛に似た成分で、色味もやわらかいときは白っぽく、硬くなるにしたがって濃い色味になってきます。

セミの羽化にかかる時間は、種類にもよりますがおよそ2〜3時間程度。羽化したばかりの濡れた羽根の状態では逃げたり、動いたりすることができません。

カブトムシは蛹（さなぎ）になると一部の器官を除いて、ドロドロに溶けた状態になり、そこから成虫の形へと作られていきます。

テントウムシは、羽化したてのときは、ホシはありません。羽根が乾いてから、ホシが出てきます。

② 昆虫の血の色って何色なの？

A 基本は透明です。

昆虫の血には、人間の血のようなヘモグロビンが入っていないので、赤くはなりません。基本的に透明です。緑色や黄色のこともありますが、食べた葉っぱなどの色が溶けだしているからです。

ユスリカの幼虫は例外で、血液にヘモグロビンが含まれているので赤い色をしています。

---

③ ホタルの光りかたは、種類によって違うものなの？

A 種類のほか、オスとメスでも違います。

光ることで、仲間やオスとメスの場所を知らせる合図となっています。種類でも、オスやメスでも光りかたが違うので、間違えたりすることはありません。腹の先のルシフェリンという物質がルシフェラーゼという酵素の力を借りて光っています。光っても電球のように熱くなるということはありません。

光るホタルは、ゲンジボタルとヘイケボタル。大きく明るい光なのは、ゲンジボタルのほうです。

---

④ カブトムシって外国でも人気なの？

A 海外では不人気です。

日本では、かっこいい昆虫として人気ですが、黒光りする見た目から海外では人気がありません。日本では、以前は肥料に卵を産むことで害虫とされていましたが、町おこしの一環で飼育されるようになってから人気が出ました。

Q

成虫になったセミは
なぜ短い命なの？

A

卵を産んで次につなぐことが
大事だからです。

セミの種類によって違いますが、地表に出てきたセミの寿命は1週間程度なので、セミの一生は短いといわれます。しかし、幼虫は土のなかで7年くらい過ごします。一生で考えると、7年と7日。決して短いわけではありません。セミは成虫になった短い間で、相手を探し、卵を産んで次の世代へと命をつなげていきます。

日本でよく見られるセミは、アブラゼミ、ミンミンゼミ、クマゼミ、ニイニイゼミ、ツクツクボウシ、ヒグラシなどです。

小さな生命、
昆虫を身近に感じてみる。

小さな昆虫たちもしっかりと次の世代へと
命をつなげるために懸命に生きています。
昆虫の不思議についてみてみましょう。

Ｑ 昆虫って地球上にどのくらいいるの？

Ａ 約100万種です。

地球上にいる全生物の約6割が昆虫です。場所や気候変化などの適応力が高いため、種類が増えたといわれ
ています。幼虫から蛹（さなぎ）をへて成虫になる完全変態の種が最も多く占めています。飛ぶことができて、変態
して姿を変えて、休眠することができるため、地球上のいろいろなところで生息することができるのです。

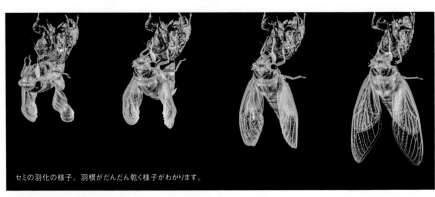

セミの羽化の様子。羽根がだんだん乾く様子がわかります。

昆虫は、世界で毎年2万種くらいが新種として発表されています。また、さらに200万種くらいは新種がいると考えられています。

虫が集まりにくい街灯ってある？

A LEDの街灯です。

LEDの街灯には虫が集まりにくいとされています。LEDは紫外線をほとんど出しません。虫は移動するときに紫外線を頼りにしています。紫外線は人の目には認識することができませんが、虫は見ることができ、太陽や月の光に含まれる紫外線を頼りに移動しているのです。蛍光灯の光にも紫外線が含まれているので、蛍光灯の街灯には虫が集まりやすいとされています。

 暑い日ほど蚊は活発になるの？

A 35℃以上の猛暑日だと動きが鈍くなります。

蚊の活動しやすい気温は25℃程度。猛暑日といわれる35℃以上では、蚊も暑くて日陰などに潜んでいます。また、蚊の卵を産み付ける水たまりが日照りにより蒸発してしまうと、卵を産むこともできません。暑さが落ち着く朝晩の時間帯になると蚊は活動を開始します。また、暑い日はエアコンの効いた涼しい室内に避難してくることもあるそうです。

逆に15℃以下の寒い日は、休眠状態になったり、卵の状態で越冬します。

Q

なぜ虫を食べる
植物がいるの？

落とし穴のような袋を持つのは、ウツボカズラ。虫を食べないと生きることができないと思われがちですが、虫を食べなくても光合成で生きることができます。しかし虫を取り、足りない栄養素を補うことでより育つのです。

A
たんぱく質をとるためです。

植物が育つには、ちっ素、リン酸、カリウムが必要になります。ちっ素を使うことで植物が体内でたんぱく質をつくることができます。土からちっ素を吸収できなかったので、なんとかたんぱく質をとろうとして、虫を食べるようになったのが、食虫植物のはじまりです。ちっ素が吸収できない土壌では、ほかの植物は育つことができないので、競争をせずに育つことができます。

虫を食べるのは、
生きるための工夫でした。

食虫植物というと、虫を食べる怖い植物というイメージがあるのではないでしょうか。
しかし、生きるために自ら工夫して進化した植物なのです。
園芸店などで購入して、自分で育てることもできます。

● 食虫植物は、何種類くらいあるの？

A 約550種類です。

世界で約550種類といわれていて、日本では21種類が確認されています。日本では、北海道から沖縄まで広く
分布しており、意外と身近なところに自然に育っていることもあります。コウシンソウ、フサタヌキモは、日本にしか生
息していない固有種ですが、栽培が難しくて、決まった場所にしか育たないので、絶滅の危機にあります。モウセン
ゴケ、ウツボカズラ、ハエトリソウがよく知られていて、園芸店などで購入することもできます。

粘液によって虫を捕える モウセンゴケ。自宅で育てる場合、ちっ素分の少ない土に植えると、捕食器官をよく作り、
虫を捕食しようとするそうです。

② 虫を捕まえれば、すべて食虫植物？

A 消化&吸収までして食虫植物といえます。

花粉を運んでもらうために虫を捕えて閉じこめる植物もいます。虫を捕えますが、消化液も出しませんし、吸収もしません。これは虫を食べてはいないので、食虫植物には入りません。

---

③ どのようにして、虫を捕まえるの？

A 5種類の方法があります。

① 虫の動きを刺激し、
自ら動いて虫を捕える。
→葉の表面などに感覚毛がついていて、そこに虫が触れると動いて閉じ込めます。捕まえたあとは、葉の表面から消化液を出して消化・吸収していきます。

② 粘液によって、虫を捕える。
→葉の表面に生えている腺毛から粘液を出して虫を捕え、消化液を分泌して溶かします。

③ 落とし穴のような袋をもっていて、
虫を落として捕える。
→つるの先などにある袋を捕虫嚢といい、虫を誘うために赤色などの目立つ色をしています。そこに虫を落とします。

④ ふたのついた袋に、
水圧で吸い込んで捕える。
→捕虫嚢のふたの突起を虫が押し上げることでふたが開き、水と一緒に吸い込み、内側から出る消化酵素によって溶かします。

⑤ 迷路のような仕組みをもち、
そこに虫を誘導して捕える。
→細い管状の葉で虫を食虫器まで誘い込み、捕えます。

ちなみに食虫植物が虫を捕える落とし穴、ふた、迷路などは、すべて葉が変形したものです。また、虫を栄養として食べていますが、光合成もおこなっています。虫を捕まえると24〜36時間後に消化液が出てきます。食べた虫の種類にもよりますが、3〜10日ほどで消化されて、吸収されます。

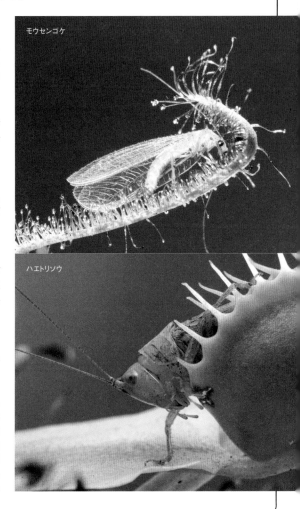

モウセンゴケ

ハエトリソウ

Q

種なしブドウって、
種がないのに
どうやってできるの？

ジベレリンは植物ホルモンの一種。このジベレリンを発見したのは日本人で、さらにジベレリンによって種なしブドウを作る技術を開発したのも日本人です。

A

種ありの状態のものを収穫します。

成長過程で、種が小さいままになるジベレリンという液に浸します。種は小さいままですが、実は大きくなるので種なしブドウができあがるのです。ジベレリンに浸さずに種がある状態のまま成長させたものから、種を収穫します。

実は野菜だったり、
草だったりすることも……。

甘くておいしいフルーツには、
分類によっては野菜だったりするものもあります。
意外に知らないフルーツの不思議に迫ってみましょう。

Q グレープフルーツは、
グレープ（ブドウ）と関係があるの？

A 木になる様子がブドウのようだったのが由来です。

分類は、柑橘類です。ブドウの房のようにまとまって木になる様子からグレープ（ブドウ）と名付けられました。香り
がブドウのようだからという説もあるようです。グレープフルーツの実がなるまでは、植えてから10年かかるそうです。

グレープフルーツは、ブンタンとスイートオレンジの交配によって生まれました。

収穫したら捨てられてしまうバナナの茎からとれるバナナ繊維が
織維素材として注目されています。

② バナナは果物？　それとも野菜？

A　野菜に分類されます。

果物は、木になる果実のことを指します。農林水産省の分類によると、バナナは野菜。バナナは、木ではなく大き
な草になるからです。甘いから果物というわけではありません。何年もかけて育ち、何度も木に実をつけるものが果
物で、1年で枯れてしまい1度しか実がとれないものは野菜です。農林水産省の基準ではこのような分類になって
いるのです。バナナは、草になり、1度実をつけると翌年は実をつけません。

③ 水に浮くフルーツと、
　　沈むフルーツの違いは？

A　水より比重が小さいか大きいかの違いです。

りんご、バナナ、大きなスイカも水より比重
が小さいので水に浮きます。キウイ、ブドウ
は比重が大きいので沈みます。凍らせると
体積が増えて比重が小さくなりますが、ブド
ウは水に沈みます。見た目として、ブドウよ
り大きなりんごやスイカが浮くのは不思議
に感じるかもしれません。

野菜は、土のなかで育つ野菜は
水に沈み、地上で育つ野菜は
水に浮くものが多いようです。

Q 海のなかで、昆布のダシが
　出ないのはなぜ？

日本では、はるか昔の縄文時代から昆布は塩分補給のために食べられていました。

Ａ 生きているうちは、
ダシは出ません。

昆布の細胞のなかにあるダシのもとになるうま味成分は、海のなかで生きているうちは溶け出ることはありません。熱湯に入れたり、乾燥させたりすると細胞壁が壊れてダシが出てくるのです。

世界からも注目される、
和食には欠かせない味がある。

和食といえば、ダシが決め手。
ダシのうま味は、世界でも認められています。
ところで、そもそもダシってなんでしょうか？

Q 昆布のダシのうま味って何？

A グルタミン酸です。

1908年に東京帝国大学の池田菊苗教授が、グルタミン酸を発見しました。甘味、塩味、酸味、苦味のほか
にある味として発見し、うま味と名付けました。その後イノシン酸、グアニル酸も発見され、いまやうま味は世界的
にも認められた味覚となりました。

ダシに使う乾燥した昆布の表面にある白い粉はダシのうま味成分です。水で洗わないようにしましょう。

② 煮干しってなんの魚なの？

A　ウルメイワシなどです。

魚類で、煮て干して、水分が18％以
下のものであれば煮干しとなります。
一般的にはウルメイワシですが、カタク
チイワシ、マイワシ、トビウオ、アジ、サン
マ、タイ、イカ、カキの煮干しもあります。

煮干しは、全国の1／4が
長崎県産です。

③ ワカメを茹でると、
　　緑色になるのはなぜ？

A　熱により色素の色が変化するからです。

ワカメには、フコキサンチンと緑色のクロロフィルaという色素が含まれています。ワカメが生きているときは、フコキ
サンチンは赤色をしています。海のなかでは、緑色と赤色が混ざって、茶色のような色味に見えますが、茹でるとフ
コキサンチンが黄色に変化をするため全体的に緑色に見えるのです。

ワカメは低カロリー
で食物繊維が豊
富。各種ビタミン
も含んでいます。

Q

虹はなぜ7色といわれるの？

中国では、蛇が天に昇り竜に
なるという伝説があり、それを
元にして日本でも空にかかる
大きな虹を蛇として考えていた
ようです。

A

ニュートンが
7つの色に分けたからです。

虹は、空気中の水滴（雨粒）がプリズムのように働いて、太陽の光を色ごとに分け
ることでできます。分解されてできた虹の色を、ニュートンが7つに分けました。
虹は、外側が赤、内側が紫の順番になっています。

雨上がりに現れて、
見ると幸せな気分になる。

虹は、太陽の光が分解されることでできます。
雨のあとに見られるものだけでなく、
二重のものや円形のものもあります。

Q 虹の色数は世界で違うの？

A 国によって違います。

太陽に含まれる色は、厳密に7色ではなく、少しずつ異なるたくさんの色が集まっています。これを便宜的に分けたのが、虹の色の数になります。7色（日本、イタリア、オランダ、韓国）のほかにも、6色（アメリカ、イギリス）、5色（ドイツ、フランス、中国、メキシコ）、4色（ロシア、インドネシア）と色分けは国によってバラバラです。7色は、赤・橙・黄・緑・青・藍・紫、6色は赤・橙・黄・緑・青・紫、5色は赤・橙・黄・緑・青、4色は赤・黄・緑・青と、このような色分けとなっています。

英語ではレインボー（雨の弓）、フランス語ではアルカンシエル（空にかかるアーチ）と呼ばれています。

② ダブルレインボーは、色の順番が違うの?

A 色の並び方が逆になります。

内側の色の濃い虹を主虹、外側の色の薄い虹を副虹といいます。主虹と副虹では、色の順番が逆になります。主虹は、大気中の水滴を光が1回反射して外に出てきますが、副虹では光が2回反射します。2回反射することで、色の並び方も逆になるのです。

2回の反射で起きることから「人生が好転する」とも考えられています。

③ 飛行機からも虹って見えるの?

A リング状の虹が見えることがあります。

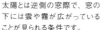

飛行機に乗って空の上に出ると、虹を完全な円形として見ることができる場合があります。また、虹に似た「ブロッケン現象」と呼ばれる、外側が赤く内側が青い円形も見ることができます。

太陽とは逆側の窓際で、窓の下には雲や霧が広がっていることが見られる条件です。

④ 虹のふもとにたどりつくことはできるの?

A たどりつくことはできません。

虹は、太陽を背にして太陽光の進む方向から常に42度上の角度のところで見られます。本来、虹は丸く見えるはずなのですが、地面があるために遮られてしまいアーチ状に見えているだけなのです。虹のふもとにも人がいるように見えますが、そこを目指して行ってもあなた自身が虹のふもとにたどりつくことはできません。同じく虹をくぐることもできません。

「虹のふもとには宝が埋まっている」という言い伝えは、たどりつけないからこその話なのかもしれません。

プリズムで分光された光。

光の実験をしてみよう

光のなかには、いろいろな色が隠れています。
普段、何気なく見ている身の回りの色は、太陽や蛍光灯などの白い光があたって、特定の光が吸収され、残りの色が反射したものです。つまり反射した光を人間が見て色として認識しているのです。

● 光のなかには、何色がある？

光のなかに含まれている色を見てみる実験をしてみましょう。

〈用意するもの〉
タッパーなどの容器、鏡（折りたたみだと、容器に引っ掛けられて便利）、水、白い紙（A3くらい）、太陽の光

〈やり方〉
①容器の3分の2くらいまで水を入れる。
②水のなかに鏡を入れる。鏡は、水の表面に対して45度になるように調節する。
③鏡に太陽光が当たるようにする。太陽の光がうまく当たらなければ、懐中電灯でもOK。
④光が当たる場所に白い紙を持ってくる。水の量を減らしたり、増やしたりしてみる。

水と鏡を通して太陽光の色を見ます。

太陽や懐中電灯などの光の見た目は白ですが、赤、青、緑などのさまざまな色が混ざって白く見えています。容器に入れた水に光を当てることで屈折させて、さらに水中の鏡で光を反射させ、反射した光を白い紙に映すことで、もとの色に含まれる色を映すことができます。うまくいけば、虹色が白い紙に映っていると思います。

● プリズムで分光してみよう

プリズムとは、ガラスやアクリルなどでできている三角柱のもの。大きさはいろいろありますが、手のひらにのるくらいのサイズが最適でしょう。"分光"とは、光を分けること。太陽の光をプリズムを使って、分光してみましょう。

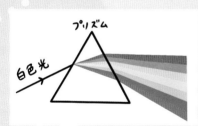

太陽光の入る角度を調整してみましょう。

● 光をあてる
折り紙を何色か用意し、部屋を暗くして、そこに白い光と赤い光をあてて、折り紙の色を見てみましょう。赤い光は、懐中電灯などに赤いセロファンをかぶせて作ります。白い光は、蛍光灯の懐中電灯などを使います。赤い光を当てると、赤、ピンク、黄色などは赤くなりますが、青や緑には赤の要素がないので反射の光が乏しくなって、暗く見えます。白は赤い光をあてても明るく見えます。

<用意するもの>
プリズム（ネット通販などで購入できます）、太陽の光

<やり方>
①太陽の光をプリズムにあてる。

プリズムの角度を調整して、きれいに分光できるところを見てみましょう。正面や真上からみると光の様子がよくわかります。太陽の光がプリズムを通るときに屈折し、波長の違う色が分光（色分け）されて、虹が出てきます。
※太陽光を直接見ないように注意しましょう。

● 光の三原色
赤、緑、青が光の三原色です。赤と青でピンク、青と緑で水色、赤と緑で黄色にもなり、すべて混ざると明るくなって白くなります。テレビ画面、パソコンのモニターなどが光の三原色を利用しています。

Q なぜ晴れた日の最高気温は、
　昼を少し過ぎたころになるの？

気温の高くなるこの時間帯に
あえて休憩するシエスタがある
のはスペイン。

A 空気が最も暖まるのが
午後2時ごろだからです。

晴れた日は、太陽の熱で地面が暖められます。暖まった地面が、空
気を暖めていきます。気温が最も高くなるのは、太陽が真南にくる昼
ごろではなくて、空気が十分に暖まる午後2時くらいになるのです。

太陽の恵みと温暖化……、気温について考えてみる。

昨今、夏の気温がどんどん高くなっています。
世界的にも問題になっている気候変動ですが、
日本で採れる作物も南国のものが増えています。

都市部の気温が高くなるのはなぜ？

A 緑地や水地が少なく、アスファルトが多いからです。

自動車や建物からでる排熱のほか、日なたのアスファルトの温度も高くなります。また、気温がやわらぐ緑地や水地が少ないのも暑くなる理由のひとつ。地上1.5mの気温が30℃の場合、日なたのアスファルトは50℃以上になることもあります。そのため、大人より地表に近い子供やベビーカーはより危険な暑さになるといわれています。

都市部では、新築や増築の際に敷地や屋上の一部を緑地化することを義務づけています。

ヒートアイランド現象を和らげるため東京都内の公立小中学校では校庭の芝生化が推進されています。

② 木陰や芝生などが涼しいのはなぜ？

A 葉の蒸散作用などのおかげです。

樹木が日差しを遮ってくれるので日陰となり涼しくなります。葉は、気孔から水を蒸発させて葉自身が熱くなるのを防いでいますが、これを蒸散作用といい、気温とほぼ同じ温度になります。日差しによって暖められた地表からは、赤外線が出ています（赤外放射）。この赤外放射により、気温が高くなりますが、芝生や樹木などにはこの赤外放射をカットする働きがあり、涼しく感じるのです。これらによって体感温度が、5〜7℃くらい下がるといわれています。

③ 熱い地面で目玉焼きは作れるの？

A 地面に直接ではできません。

アメリカの国立公園で、100年前に最高気温56.7℃を記録しました。それくらい熱ければ目玉焼きができそうですが、実際にやった人がいます。どうだったのでしょうか。結論からいうと、地面に直接、卵を割り入れても目玉焼きは焼きあがりませんでした。目玉焼きを作るには、熱い地面にフライパンを置き、2時間程度おいて予熱をしてから、卵を割り入れて、熱をこもらせるためにふたをしなければなりません。

このとき実際に地面で目玉焼きを作ったのは公園職員でした。暑さを知ってもらおうと思ったのがキッカケだとか。

Q

雲の色には、
白や黒などがあるのはなぜ？

A
太陽の光がたくさん当たっているか、
いないかで変わります。

雲はもともと無色です。雲のつぶに太陽の光が当たり散乱し、その光が雲を通り抜けるかどうかで、雲の色が変わります。地上の人間の目に届く光の量で白や黒など見え方が変わります。太陽の光がたくさん当たると白く見え、逆に光が当たらない厚い雲は黒く見えます。

雨雲は、水滴や氷の粒がたくさん集まっているので光が当たらず黒く見えるのです。

白や黒だけではない、
カラフルな雲もある。

空に浮かぶ雲は、いろいろな形をしています。
色も、白や黒、グレーなどさまざまです。
なかには虹のようにカラフルなものもあるのです。

① カラフルな雲について教えて！

A 彩雲という虹色の雲があります。

比較的高いところに発生した雲や、積雲の端のちぎれた感じのところに現れます。太陽の光が雲のなかの氷の
つぶの縁で折れ曲がるとき、光の波長によって折れ曲がる度合いが変わるために、色づいて見えます。雲が風で
流れているときに現れることが多いので、どんどん色や形が変わって見えます。

太陽を直接見ると眼を痛めてしまうので、サングラスをしたり、太陽を建物で隠したりしながら見るようにしましょう。

② 雲のなかに入ることはできる？

A できます。

霧は、地上にできた雲でもあります。雲の分類でいえば、層雲と同じです。霧のなかに入れば、雲のなかに入った
といえるでしょう。お風呂の湯気も雲の一種と考えることもできます。

③ 雲はどのくらいの高さにあるの？

A 低いものは地上付近、
高いものは13kmくらいの
高さにあります。

雲は、形や発生した高さ、雨を降らせるかどうかなど
で大きく10種類に分類されています。

高度の高い方から、巻雲：すじぐも（5〜13km）、
巻積雲：うろこぐも、いわしぐも（5〜13km）、巻層
雲：うすぐも（2〜7km）、高積雲：ひつじぐも（2〜7
km）、高層雲：おぼろぐも（2km、上まで広がること
も）、乱層雲：あまぐも（2km、上まで広がることも）、
層積雲：うねぐも、くもりぐも（地上付近2km）、層雲：
きりぐも（地上付近2km）、積雲：わたぐも（低いとこ
ろから高いところまで）、積乱雲：入道雲（低いとこ
ろから高いところまで）があります。

空や雲を見て天気の予想をすることを「観天望気
（かんてんぼうき）」といいます。

④ 富士山が雲の帽子をかぶるのはなぜ？

A 気流が上昇するところに雲ができるからです。

山の斜面に沿って湿った空気が上に流れる強い風が吹く気象条件のとき、その上昇気流によって雲が発生しま
す。湿った空気が強い上昇気流にのって斜面を駆け上がると、頂上付近で空気が冷やされて水蒸気が氷へと
変化し、雲のつぶが発生するのです。

「富士山が笠をかぶると近いうちに雨」
という言い伝えがあります。

Q
風の起こる仕組みを教えて!

A
気圧の差によって生まれます。

気圧の高いところから低い方に向けて風は吹きます。

そよ風、春風、北風……、
今日もさまざまな風が吹く。

空気が移動することによって風は起こります。
風の強さもさまざまですが、
強い風は、風力発電で役に立つこともあります。

① 風の種類を教えて！

A 呼び名によって、いろいろあります。

そよ風、春風、北風、南風、おろし、やませ、はやて、からっ風、木枯らし、つむじ風、ビル風…。気象の分野では、地衡風（ちこうふう）、傾度風、温度風、ジェット気流、季節風、偏西風、海陸風などを耳にします。

日本語の風の名前は「春一番」や「盆東風（ぼんごち）」のように、自然のなかで働く人々が名付けたものが多いです。

② 天気予報の風の強さについて教えて！

A 「やや強い風」「強い風」「非常に強い風」「猛烈な風」の4段階で表します。

天気予報では、やや強い風（10〜15m／s）、強い風（15〜20m／s）、非常に強い風（20〜30m／s）、猛烈な風（30〜35m／s）の4段階が使われます。これとは別に風力階級表というものがあり、風力0〜12までが決められています。天気予報などで見る天気図は、この風力で表示されています。

羽のない扇風機で温風を送る暖房器具もあります。

 羽のない扇風機ってどんな仕組み?

A 内蔵された羽で風を作ります。

扇風機の胴体に多くの穴が空いていて、そこから空気を吸い込み内蔵モーターと羽の働きで空気を上部に送って、細い隙間から風として吹き出しています。

 スキーのジャンプは追い風より、
向かい風の方が遠くに飛べるのはなぜ?

A 向かい風に、
ジャンパーの体を上にあげる働きがあるからです。

スキーのジャンプ台は急な坂道(山の傾斜)にできています。向かい風は傾斜を上ってきてジャンパーを上に持ちあげる働きをします。追い風のときは風が上から下に吹くのでジャンパーを下に押し下げてしまいます。

Q

梅雨は、
日本にしかないの?

A

梅雨を雨季ととらえると、
ほかの国や地域でもあります。

梅雨ということばは、日本だけの言い方ですが、雨季と同じです。雨季はアジア、
熱帯地方など世界各地にあります。梅雨前線は、日本の上空だけではなく、幅広
く伸びており、その範囲では雨が降りやすくなります。

梅雨は、五月雨、黄梅の雨、
麦雨ともいわれます。

長い雨に悩むのは、
日本だけではありません。

雨が続く梅雨の季節は、ちょっと憂鬱になりますが、
夏前にしっかりと雨が降らないと、
作物が育たなかったり、水不足になったりもします。

① 梅雨の時期にダルくなるのはなぜ？

A 自律神経が乱れるからです。

雨が降り続けて気分が落ち込みがちな梅雨。低気圧が続くので、自律神経が乱れ、副交感神経が優位になって、
体が休むモードになってしまうと考えられています。副交感神経が優位な状態は、寝る前に似ていてリラックスした
感じになっています。そのため、やる気がでなくなり、ダルいと感じてしまうのです。

② ツバメが低く飛ぶと
雨が降るといわれるのはなぜ？

A エサとなる虫が低く飛ぶからです。

ツバメは、飛びながらエサである虫を食べます。雨が降る直前は、湿度が高くなり虫の羽が湿気てしまうので、うまく
飛ぶことができずに低く飛んでいます。その虫を食べるツバメも、合わせて低く飛ぶので、ツバメが低く飛ぶ日は、雨
が降るといわれているのです。

「鐘の音がよく聞こえると雨」も雨を予測することわざです。

北海道には梅雨前線が届かず、梅雨がないといわれていましたが、梅雨前線が勢力を保ったまま到達することが増えてきているようです。

梅雨前線って何?

A 梅雨の時期に日本の南側に伸びる停滞前線のことです。

東日本の梅雨前線は、南の太平洋高気圧(暖かくて湿った空気)と北のオホーツク高気圧(冷たくて湿った空気)がぶつかるところに現れます。これに対して、西日本では南西モンスーンの影響を強く受け、湿度の境界が前線を作ります。

④ アジサイの花の色は、世界で違うの?

A 土の成分によって違います。

土の酸性が強いと青が濃くなり、アルカリ性が強いと赤が濃くなります。青は青でも、アジサイが土のなかのアルミニウムを吸い上げる度合いによって、青の色味にも微妙な変化がでてきます。日本では、酸性の土が多いので、青いアジサイが多いですが、ヨーロッパは土壌が違うので違う色のものが多く咲いています。

アジサイの種類によっては、肥料や日当たりなどによって色が変化しないものもあります。

Q

雷はなぜ
ジグザグになるの？

A

通りやすいところを
進んでいるからです。

雲のなかにある氷の結晶が空気とともに激しくぶつかり合うことで、静電気が発生します。その静電気が雷です。通常、空気は電気を通しませんが、雲のなかでたくさんたまると、空気中にこの電気が放出されます。その電気が空気中の通りやすいところを通っていくので、ジグザグに進むのです。

ピカッと光りゴロゴロ鳴る雷は、雲のなかの静電気です。

雲のなかで静電気が集まり、たまっていくと、
やがて、その静電気が空気中に放たれます。
それが雷の正体です。

Q 雷がゴロゴロと鳴るのはなぜ？

A 空気に振動が伝わるからです。

雷が放たれると、激しく膨張することで衝撃が空気に伝わります。その振動が、「ゴロゴロ」「ドーン」「バリバリ」などの音に聞こえるのです。

雲放電という音の鳴らない雷もあります。

Q 雷が落ちても安全な場所ってあるの？

A 鉄筋コンクリートのビルのなかなどです。

鉄筋コンクリートの建物、避雷用の金属でできた建物、木造などの建物のほか、車やバスなどに落雷したときは、建物や車などの外側を通って地面に電気が流れるので、内部は安全です。雷は高いところに落ちるので、まわりに何もない広場などでは人に落ちる危険性があります。

世界中でみても、夏の時期に雷は発生しやすいです。冬の雷は特別で、日本の日本海沿岸やノルウェーの大西洋沿岸と限られています。

③ 雷が人に落ちる確率ってどのくらい？

A 1000万分の1の確率です。

雷が人に落ちてくることはほとんどありません。1000万分の1は、宝くじの1等に当たるくらいの確率です。ちなみにギネス記録としては、7回も雷にうたれた人がいるそうです。

④ 飛行機に雷が落ちたらどうなるの？

A 機内にいる人間が感電することはありません。

飛行機は雲より上を飛ぶこともあるので、「雷が落ちた」ではなく「雷を受けた」という表現になります。仮に雷を受けても機体の表面を電気が流れるので、機内に感電しません。機体の表面には多少の焼けあとなどが残ることがありますが、飛行機には、雷対策として、静電放電装置が取り付けられています。

Q

自分が動いていても
月がついてきているように
見えるのはなぜ？

A
錯覚です。

例えば、私たちが歩いて建物Aから離れたとします。建物Aを
見るとどんどん小さくなっていくと思いますが、同じように月を
見ると、月は変わらない位置にあります。月と地球は38万km
も離れているので、少し離れたくらいで月との距離はほぼ変わ
りません。そのため月が自分についてきたと錯覚するのです。

その年に見える月の中で最も
大きな満月を「スーパームーン」
といいます。月と地球の距離
が最も近いときの満月です。

日本人の名前も、
クレーターになっています。

月の表面に見える無数の凸凹がクレーターです。
このクレーターにはそれぞれ名前もついています。
また、その形を何かに見立てるのはどこの国も一緒です。

月の裏側って見ることができるの？

A 地球からは、見ることができません。

月の自転周期と、地球のまわりをまわる公転周期が同じため、月は地球にいつも同じ面を向けています。そのため、地球から月の裏側を見ることはできません。ちなみに裏側には、隕石が衝突したクレーターがたくさんあります。

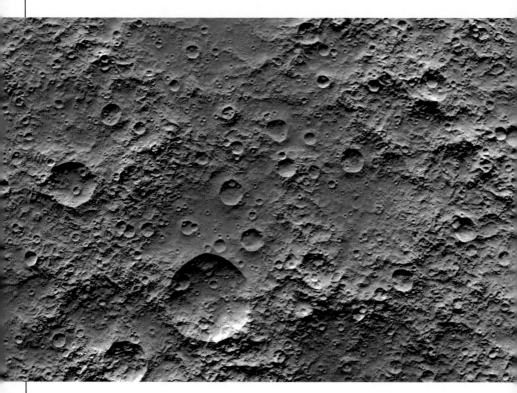

隕石や小さな天体が、非常に速いスピードでぶつかると衝撃波が発生し、クレーターの丸い凸凹ができます。

月にも地名はあるの?

A コペルニクスやアルキメデスなどの名前がついています。

天文学者であるガリレオ・ガリレイが望遠鏡で月の表面を見て「クレーター(ギリシャ語でボウル、コップの意味)」と名付けたことから、そう呼ばれるようになりました。クレーターには、宇宙飛行士のアームストロング、ガガーリン、日本の天文学者のアサダ、ハナタカ、ヒラヤマという名前のついたものもあります。

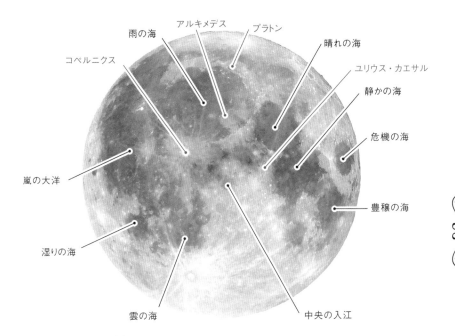

雨の海
アルキメデス
プラトン
晴れの海
コペルニクス
ユリウス・カエサル
静かの海
危機の海
嵐の大洋
豊穣の海
湿りの海
雲の海
中央の入江

月にある主なクレーターの名前や地名。

 「月にうさぎがいる」というのは、日本だけ?

A 中国や韓国などでも、うさぎがいるといわれています。

月の見た目は、各国でいろいろな見立てをしています。

国名	見えるもの	国名	見えるもの
中国	うさぎ、ヒキガエル、カニ	カナダ	バケツを運ぶ少女
韓国	うさぎ、ワニ	中南米	ロバ
インドネシア	編み物をする女性	ヨーロッパ	カニ
モンゴル	犬	北欧	横向きに腰かけたおばあさん
ベトナム	木の下で休む男性	中東・アラビア	ライオン
アメリカ	横向きの女性、ワニ、とかげ		

Q

水が沸騰したときに
出る泡って何？

電気ポットなどで、水を再沸騰させると毒性物質が発生するといわれますが、科学的根拠はありません。ただし、一度沸かした水をしばらく放置しておくと細菌が湧く可能性はあります。

A
水蒸気です。

水は100℃で沸騰します。沸騰すると表面だけでなく内部からもはげしく水蒸気になります。鍋などで水を沸騰させたときに、一部が水蒸気となって泡になって出てくるのです。水蒸気は無色透明なので、目で見ることはできません。

固体にも気体にもなる、無色透明な水の不思議。

水は、冷やすと凍って固体の氷になり、温めると気体の水蒸気になります。
水蒸気は目に見ることができませんが、
やがて雨となって空から降ってきます。

Q 空にある水蒸気は、
どのくらいで雨になるの？

A 10日間くらいです。

水は、海、森林、陸地などから水蒸気となって、上空にあがると、上空の冷たい空気によって冷やされて水や
氷のつぶになり、やがて雲になります。大きくなると雨として下に落ちていきますが、この期間がだいたい10日間
くらいといわれています。

降ってきた雨は、川として流れたり、地面に染みこんだりして海に流れます。やがて、それがまた水蒸気となり上空にあがって
いきます。このくり返しを「水の循環」といいます。

飛行機雲が長く残るときは上空の大気が湿っているので天気が崩れやすいといわれています。逆にすぐに消えるときは、晴れが続くとされています。

② 飛行機雲も、水蒸気なの？

A 水蒸気です。

飛行機のエンジンから出る排ガスのなかの水蒸気が、水や氷のつぶとなって雲になり、飛行機雲となっています。ちなみに、飛行機雲の本数は、エンジンの数と同じです。

③ 人の皮膚からも水分は出ているの？

A じっとしていても出ています。

皮膚からも水分は出ています。じっとしていても出ており、1日で平均600mlも出ているといわれています。もちろん汗をかくとさらに出ていきます。

Q

炭酸水の泡って
なんの泡？

A

二酸化炭素です。

炭酸水には、二酸化炭素が溶けています。高い
圧力をかけ、低温の水にすることで多くの二酸
化炭素を溶かしているのです。

天然炭酸水はミネラル成分と
湧き出た二酸化炭素を含んで
います。産地によって炭酸の
強さは異なります。

泡の正体は二酸化炭素、圧力をかけて水に閉じこめる。

実は、古くから飲まれている炭酸水。
シュワシュワな泡は、見ているだけでもとてもさわやかに感じるものです。
次々に出てくる泡の正体は、二酸化炭素です。

① ペットボトルの炭酸飲料を開けたときのプシュッというのは何？

A 二酸化炭素です。

ふたを開けることで、容器内の気圧が急激に低くなって二酸化炭素がでてきています。これがプシュッの正体です。

ペットボトルの炭酸を抜けにくくするには、冷蔵庫で冷やすこと。二酸化炭素は温度が高いと気体になりやすいので、冷やすと長持ちします。

② 炭酸飲料を冷凍させるのがダメなのはなぜ？

A 容器が破裂する恐れがあるからです。

炭酸飲料の成分のほとんどである水は0℃で凍りますが、二酸化炭素は凍りません。水が凍ると水に溶けていた二酸化炭素が追い出され気化するため膨張します。水も凍って膨張するため圧力が増し、容器内を圧迫して破裂させる可能性があるのです。また、凍らせてしまった炭酸飲料を解凍するときは、容器をタオルなどで包み、万が一破裂してもいい場所において時間をかけて解凍するようにしましょう。

古代ローマでは、炭酸水を健康のため体調のよくない人に飲ませていたという史実があります。

③ 炭酸飲料は、いつから飲まれていたの?

A 古代ローマ時代には飲まれていました。

紀元前の古代ローマ時代に炭酸ガスの含まれた天然の温泉などを飲用としたのがはじまりとされています。いまでも飲まれているような炭酸飲料は、1808年にアメリカで炭酸水を果汁で味付けしたものが売り出されたのがはじまりです。日本には江戸時代の終わりにペリーが浦賀来航のときに炭酸レモネードを持ってきて伝えられました。

④ 炭酸飲料のペットボトルの形が、お茶などとは違うのはなぜ?

A 圧力に耐え、ガスを抜くための構造になっているからです。

炭酸ガスの内側からの圧力に耐えられるように、厚めで、凹凸の少ない丸い形をしています。飲み口には縦に溝があり、そこからガスを抜く仕組みになっています。

炭酸水を作ってみよう

自宅で炭酸水を作ることのできる家電製品も発売されるなど、
炭酸水は人気です。
炭酸水は、水に二酸化炭素を圧力をかけて入れたもの。そこ
に甘味料や味などを加えたものが炭酸飲料となります。専用
の家電製品がなくても炭酸水を作ることができます。

シュワシュワのもとは二酸化炭素。

●サイダーを作る

〈用意するもの〉

A
- 炭酸水素ナトリウム（重曹）……………………1.5g
- 水 ……………………………………………100ml
- 水
- 砂糖（お好みで）

B
- クエン酸 ……………………………………1.5g
- 水 ……………………………………………10ml
- レモン汁（お好みで）

※炭酸水素ナトリウム、クエン酸は、掃除用のものではなく、食品用のものを使用してください。どちらも薬局などで購入することができます。

〈やり方〉
① グラスにAを入れて混ぜる。
② 別のグラスにBを入れて混ぜる。
③ ①に②を入れて混ぜる。

炭酸水素ナトリウムとクエン酸が混ざることで二酸化炭素の泡が発生し、炭酸水になります。砂糖やレモン汁をお好みで入れると飲みやすい味になります。できたらすぐに飲むとおいしいでしょう。市販されている炭酸水には、機械で高圧力をかけて大量の二酸化炭素を溶かしているので、とってもシュワシュワしています。

●炭酸水にラムネ菓子を入れてみる

果物を入れたボウルの中央のペットボトルから噴水のように炭酸水があふれ出す「噴水フルーツポンチ」。見ているだけ涼しい気分になり、夏のパーティなどで出すと盛り上がる料理のひとつです。

炭酸水にラムネ菓子を入れることで、水が噴水のようにあふれ出すのですが、これはラムネ菓子の主成分である重曹が炭酸水に反応して、二酸化炭素が発生するため。炭酸水にもともと含まれていた二酸化炭素に追加されるかたちになるので、水が押し上げられて噴き出すのです。

コーラにメントスを入れると、勢いよく吹き出すことがよく知られています。これはメントスの表面の凸凹が二酸化炭素の泡を発生しやすい構造になっているから。加えて、メントスには表面張力を弱める成分が含まれているため泡が潰されにくく、メントスを入れたときの衝撃と相まって、勢いよく吹き出すのです。

ちなみに、最近のラムネ菓子に多いブドウ糖がメインのタイプは、炭酸水に入れてもあまり吹き出しません。

Q 井戸水が夏は冷たく、
　冬は温かいのはなぜ？

地下水の温度に急激な変化があったときは、近隣での大規模な工事があったり、雨量や降雪量が大きく変わったりしたためかもしれません。

A 井戸水の水温は、一定です。

井戸は、昔は生活に欠かせないものでしたが、いまでも使われている井戸はあります。地表近くの温度は1日の間でも変化が大きいですが、地下にいけばいくほど1日を通しても年間を通しても温度差が小さくなります。その地下にある地下水をくみ上げる井戸水は、夏でも冬でも水温はほぼ一定です。気温によって、井戸水は夏は冷たく、冬は温かく感じるのです。

湖や川よりも地下には、水が多く存在しています。

地下にたまった水は、総じて地下水になります。
地下を流れていたり、たまっていたりしますが、
さまざまな方法で利用することができます。

Q 地下水はどうやってたまるの？

A 土にしみこんだ雨が泥岩の上にたまります。

山に雨が降ると土にしみこんで土壌のなかにたまります。土壌にしみこんだ水は土によってきれいにろ過されます。数年〜数百年とかけてきれいにろ過されることもあります。地下にしみこんだ水は、粘土層である泥岩の上などにたまります。これらの地下水が、湧き水や温泉、井戸水として再び地表に出てくるのです。

メキシコのイキル・セノーテは、植物の根がカーテンのように垂れ下がっています。
雨が降る地域ならば、どこでも地下水は存在します。

地下水が地表に湧き出ると湧き水となり、湧き水が集まると流れになって、やがて数百m下流で河川となります。

② 地下水ってきれいなの？

A きれいとは限りません。

海の近くでは、地下水に海水が混ざっていることがあります。海水が混ざると、生活用水としては使うことはできません。土に化学物質（トリクロロエチレンなど）が含まれていると、それらの影響を受けて汚染されることもあります。

③ ポンプ式の井戸は どうやって水をくみ上げるの？

A コップに入った水をストローで飲む仕組みと同じです。

大気圧と真空圧の働きによって地下水を吸い上げます。コップの水をストローで吸うと水が口に入ってくるのは、ストローのなかの空気を吸って真空をつくり、水の表面を押す大気とストローのなかの圧力の差でストロー内の水を押し上げているのです。これと同じ仕組みで、水をくみ上げるのがポンプです。

Q

冷たいものを食べると
頭がキーンとするのはなぜ?

アイスクリーム頭痛にならない
人もいますが、原因ははっきり
としていません。

A

アイスクリーム頭痛が、
起きるからです。

アイスやかき氷など冷たいものを食べたときに、口のなかの温度が急激に冷えたことにより、体が反射的に体温を上げようと血管を拡張し、それが脳の血管に刺激を及ぼして、頭痛を感じます。また、口のなかの冷たさが、自律神経を刺激して頭痛が引き起こされる場合もあります。アイスクリーム頭痛を予防するには、口内が急激に冷たくならないようにゆっくりと食べるといいでしょう。

きれいで儚い氷や雪は、どちらも水が変化したものです。

雪は冷たい水の分子が空で微粒子とくっついたもの。
氷は水が固体になったもので、それぞれ水が変化したものです。
一見、きれいに見える雪ですが、実は……。

Q 透明な氷と不透明な氷があるのはなぜ？

A 不純物や空気が混ざっているかどうかの違いです。

水は外側から凍っていくので、不純物や空気が中心に集まると白く濁った不透明な氷になります。透明な氷にするには、ゆっくりと時間をかけて凍らせること。また沸騰させてから凍らせると、不純物を取り除くことができ、透明な氷になります。

不透明な氷には空気や不純物が混ざっています。不純物とは、カルシウム、マグネシウム、塩素などのことです。

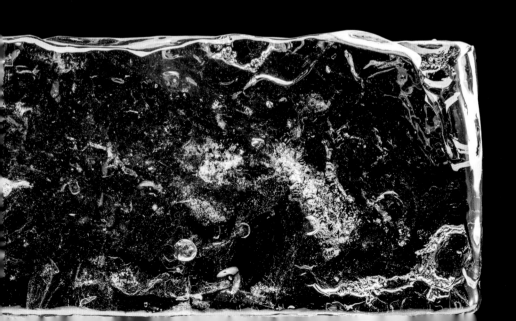

② 「天然かき氷」の天然って何？

A 人工の池や湖などで作られた
不純物のない透明な氷のことです。

人工の池に山の水を引き込んで、氷点下でじっくりと凍らせて作るのが天然氷です。表面につく、ごみや雪などをこまめに取り除くことで、透明な氷ができあがります。−5℃くらいになると、不純物は外に押し出されて氷の透明度があがります。その氷で作ったのが天然かき氷です。

天然氷は、2週間～20日ほどかけてじっくりと凍らせます。

---

③ 雪って食べても大丈夫なの？

A 雪の中心は空中のほこり。
食べないでください。

白くてきれいな雪は、思わず食べてみたくなるものです。でも雪は、大気中の冷たい水の分子にチリやほこりや花粉などが付着して結晶化したものです。環境汚染物質が付着している場合もあります。そう考えると、見た目は白くてきれいですが、食べるのは避けたほうがいいでしょう。

雪の結晶の形は、雲のなかの湿度や気温によってさまざまです。

---

④ 温暖化で氷山はどのくらい溶けているの？

A 23年間で28兆トン溶けたという調査もあります。

イギリスの研究者グループが行った調査で、1994～2017年の期間に28兆トンが溶けているというデータがあります。このペースで氷山が溶けて海水準が1mあがると、東京の江東区、墨田区、江戸川区、葛飾区に海水が浸入し、大阪の北西部から堺市までの海岸線は水没してしまうとされています。すでに海水準の影響を受けているイタリアのヴェネツィアは、都市が機能しなくなるともいわれています。

Q

空気は透明なのに、
なんで空は青いの?

A

青い光があちこちに
方向を変えているからです。

太陽の光は白色に見えますが、実はたくさんの色を含んでいます。その色は、大気などによって散らばったり、曲がったりしますが、色（波長）によってその様子は違います。光がいろいろな方向に向きを変える散乱の度合いは、青い光が強くなっています（レーリー散乱）。光は、空気中の分子でくり返し散乱するため波長の短い青い光がたくさん広がり、空の色が一様に青く見えるのです。

空気は透明なのに、空は青くて夕焼けは赤い。

空気は透明なのに、空にはさまざまな色があります。
その秘密は、太陽からの光にあります。
太陽光はいろいろな色を含んでいるのです。

1 朝焼けや夕焼けが赤いのはなぜ？

A 太陽からの赤い光が残って空気を染めるからです。

朝や夕方は、太陽の光が空気中を斜めに通過します。斜めに進むことで、大気を長く通過することになり、青い光は散乱して少なくなってしまいます。その結果、波長の長い赤い光だけが残り空を赤く染めているのです。

夕焼けが出れば、翌日は晴れるといわれています。

2 遠くの景色が青白っぽくなるのはどうして？

A 遠くになるほど青い光が多く混ざるからです。

上空で散乱された青い光（レーリー散乱）が、地面近くの空気中のちりや水分子などで散乱した光と混ざることで遠くの景色が青っぽくなります。遠い景色ほど白っぽくなるのは、地面近くで散乱した光が白い（ミー散乱）からです。

実際の山々は青くないのに
青っぽく見えています。

空気が目に見えないのはなぜ？

 そのように人間の目が発達・進化したからです。

地球は空気で覆われています。光のなかには空気中で吸収されてしまうものもあります。
空気の向こう側にある遠くの山だとか建物の色がそのまま見えているということは空気は透明で、空気そのものの存在は見えないということです。人間や動物が物を見るためには、空気で吸収されてしまう光が見えてしまうと遠くの餌や建物が空気で遮られて見えなくなってしまいます。それでは都合が悪いので、空気に吸収されない光だけが見えるように、目が発達・進化してきたのです。

---

④ 月の上で見る空の色は？

A 夜のように真っ暗です。

月には大気がないので、太陽からの光は散乱せずにすべて直進します。太陽が見えていても、そのまわりが明るく見えることはなく、夜のように真っ暗です。

月から見た地球。惑星は自ら光ることはありませんが、太陽の光が当たっているところは明るく見えます。

Q

ゴム風船が、
大きく膨らむのはなぜ？

A

よく伸びる天然ゴムで
できているからです。

ゴム風船の原料は、天然ゴムです。天然ゴムには、よく伸びる性質があるのでよく膨らみます。風船のなかでは、空気の小さな粒がビュンビュンと飛びまわっています。この内からの押す力によって風船は膨らんだままになるのです。

膨らませた風船を、
長持ちさせるコツがあります。

膨らんだ風船のなかでは、空気が飛びまわっています。
ところが、しっかりと口を結んでとめていても、
しぼんでいってしまうことがあります。

1 膨らんだゴム風船も
やがてしぼんでしまうのはなぜ？

A すき間から空気が逃げているからです。

膨らませた風船のなかの空気は、ぎゅうぎゅう詰めで、圧力が高い状態になっています。ゴムには伸びる性質と戻ろうとする性質がありますが、膨らんだ風船のすき間から、実は空気が少しずつ抜けているのです。そのため自然にしぼんでいってしまうのです。

風船のすき間は、分子レベルの小さなもの。
目で見ることはできませんが、そこから空気
が少しずつ抜けているのです。

2 風船を長持ちさせるコツを教えて！

A 太陽の光や風のあたるところに置かないことです。

太陽の光が入る窓際のほか、エアコンや扇風機などの風があたる場所などに置いておくと、ゴムの劣化が早まります。また高温な場所に置いておくと、なかの空気やガスが膨張して破裂することもあります。風船にヘアスプレーを吹き付けると、風船の表面から抜ける空気を抑えることができるので、長持ちさせることができます。

③ 浮かぶ風船と 浮かばない風船があるのはなぜ？

A 風船のなかの 気体によって違います。

空気より軽い気体かどうかで、浮かぶか浮かばないかが分かれます。空気入れや口で膨らませた場合は風船自体の重さもあり、浮かびません。空気よりも軽い水素やヘリウムを入れると浮かびます。ただ、水素は可燃性のため危険なので、浮かぶゴム風船にはヘリウムを使用するのが一般的です。

一般的な直径約28cmの風船を膨らませるのに、約12〜15リットル程度のヘリウムガスが必要です。

④ 風船ガムってなんで膨らむの？

A ガムを伸びやすくしているからです。

板ガムはチクルなどの植物性油脂を使っていますが、風船ガムには、伸縮性の高いものを使い、さらに軟化剤も入れて伸びやすくしています。大きくうまく風船を作るには、破けにくいようにガムを多めに食べ、やわらかくなるまでよく噛んで、ゆっくり少しずつ空気を入れていくとよいでしょう。

ガムが風船になるのを発見したのは、アメリカ人のフランク・フリーア。ガムを食べていて偶然膨らむのを発見しました。

Q

風船がいくつあれば、
人は浮くことができる？

A
1万個くらいは必要です。

風船で空を飛ぶ……ということに憧れた人は多いのではないでしょうか。風船
の大きさにもよりますが、理論上では可能です。ただ体重60kgの人が浮かぶた
めには、ヘリウムを入れた普通サイズの風船が1万個くらいは必要になります。

実際に風船のみで空を飛ぶ
チャレンジをした人がいます。
風船で飛んでいる間は、自分
1人になるため、風船から落
ちたあとの落下のためにスカイ
ダイビングを500回こなしたり、
気象予報士や気球のプロな
どの専門家と相談したり、熱
気球の操縦士の資格を取る
など入念な準備をしたそうです。
大きな風船や小さな風船など
を組み合わせて何十個もの風
船を使って空を飛ぶことを成
功させました。

かわいらしいイメージの風船、
環境問題で問題になることも。

ヘリウムなどを入れた風船は、高く高く空へとのぼっていきます。
イベントなどで飛ばすこともある風船ですが、
最近はゴム製の風船を飛ばすことが問題になることもあります。

① 柑橘系の皮で風船が割れるのはなぜ？

A 含まれるリモネンが、ゴムを溶かすからです。

オレンジやレモンなどの皮に含まれるリモネンには、ゴムを溶かす性質があります。ゴム風船に、皮を絞ってかけると風船が割れるのです。試してみたい場合は、新鮮な皮を使うのがおすすめです。

リモネンは、柑橘系のあの
さわやかな香りの成分です。

柑橘系の果汁ではなく、
皮の汁にリモネンが含まれ
ています。皮の汁を吹きつ
けると風船を割ることがで
きます。

② 風船が、環境問題になるってどういうこと？

A 自然に分解されにくい点です。

イベントなどで空に飛ばされた風船は、高くあがると上空8kmのあたりで破裂します。破裂した風船はまた地面に落ちてきます。地球上で大半を占める海洋に落ちた風船の破片は、海洋動物に誤食されたり、風船についていた紐などが絡まったりします。オーストラリアで行われたウミガメの調査で、ウミガメの胃から多くの人工ゴムが出てきたこともあります。海に落ちたゴムを自然分解をするには、気が遠くなるほどの膨大な時間がかかってしまうのです。

破裂した風船は、クラゲの形に似ているところから、
ウミガメが誤食しやすいといわれています。

③ 環境にやさしい風船はないの？

A 自然分解される素材のものがあります。

天然由来のラテックスを原料とする風船であれば、自然環境のなかで分解されて土へとかえります。また、口を結ぶ紐を紙にしたり、風船を結ぶだけにしたりするなど自然分解されることを考えることで、環境にやさしい風船になります。

ラテックスを原料にした風船であれば陸上で太陽光の紫外線に十分に当たると
分解が進みます。

風船を使って
実験しよう

ゴム風船のなかには、空気がたくさん
入っています。風船の口を結ぶことで
その空気を閉じ込めていますが、その
口を開けると、空気はどうやって吹き出
すのでしょうか？　また、吹き出す力で
何かを動かすことはできるのでしょう
か？　実験で見てみることにしましょう。

●風船ホバークラフト

〈用意するもの〉
ペットボトルのふた、キリ、CD、ゴム風船

〈やり方〉
①ペットボトルのふたの中心にキリで穴をあける。CDの中央にふたを接着剤で貼りつける。
②風船を①にかぶせる。
③CDの裏側から風船に空気を入れて口をつまみ、平らなところにおいて手を離す。

ホバークラフトは、水面や地面に空気を噴き出しながら宙に浮いて進む乗り物です。これの簡単なものが風船ホバークラフト。風船から噴き出す空気で、CDを浮かせて動きます。風船に軽くふれるだけで、いろいろな方向に進みます。

ペットボトルのふたにあけた小さな穴から空気が噴き出します。

●風船はくるくる進む?

風船に空気を入れて、口を押えます。押さえていた指を離すと風船は、どうやって飛んでいくでしょうか? 風船のなかの空気が吹き出す方向と反対の向きに力が働いて飛んでいきます。風船には少しゆがみがあるのでまっすぐに空気が吹き出すことはありません。回転する力が働いて、くるくると回りながら飛んでいきます。

風船は、どこに飛んでいくのか?

Q 水に体が浮くのはなぜ？

A 水が体を持ち上げようとするからです。

水には、水のなかのものを持ち上げようとする力があり、これを「浮力」といいます。浮力の大きさは、水のなかに入ったも
のと同じ量の水の重さと同じです。お湯がいっぱい入ったお風呂に入ると、たくさんのお湯がこぼれますが、これは、体が
入ったために押し出された分になります。この分量は、水が体を持ち上げる力と同じ大きさなのです。

暮らしに欠かせない水の、不思議な性質のあれこれ。

プールで身体がぷかぷかと浮かぶように、水には人を持ち上げる力があります。
これが「浮力」と呼ばれているものです。
この浮力は、いまから2000年以上前に発見されました。

① 浮力を発見したのは誰？

A アルキメデスです。

ギリシャの数学者アルキメデスがその原理を発見しました。アルキメデスは、お風呂でこぼれたお湯と、自分の体の体積が等しいことを発見しました。ある日、ギリシャの王さまが、王冠が混ぜ物のない純金でできているのか調べてほしいとアルキメデスに依頼をしました。そこで、王冠と同じ重量の金塊を用意し、金塊と王冠のそれぞれを水を張った容器に入れました。王冠と金塊が同じ素材で重量も同じであれば体積も同じはずです。ところが王冠を入れたときのほうが多くの水があふれたので、王冠に混ぜ物があることがわかったのです。

② 普通の水と海水、人が浮きやすいのはどっち？

A 比重の大きい海水です。

比重とは比較する重さのこと。同じ体積で重さを比べた値になります。生き物が住むことができない環境ということから、死海（Dead sea）と呼ばれている湖がイスラエルにあります。塩分濃度が通常の海よりも高く、1リットルに230〜270gの塩分量を含みます。そのため比重が普通の海より大きく簡単に人間が浮くことができます。

死海の泥にはミネラルが豊富で、殺菌作用もあり肌トラブルに効果的といわれます。あのクレオパトラも愛用していたとか。

③
水滴が落ちるときの「ぴちょん」という音はなんの音?

A 気泡が振動する音です。

水面に水が落ちると、その衝撃が水面下まで伝わり、大きな窪みができます。最後に小さな気泡が残り、この気泡が細かく振動することでこの音が鳴ります。この気泡は、1秒間に5000回振動しているといわれています。水面に液体洗剤をたらして、表面張力に変化を起こすと音がしなくなります。

水の流れる音には1/fのゆらぎというリラックス効果のある波形が含まれています。

---

④
つららは、どうやってできるの?

A 屋根に積もった雪が「溶ける」「凍る」をくり返してできます。

軒先に溶けた水が流れて凍り、小さな氷の塊が軒先にできます。屋根に積もった雪に建物内の熱が伝わってゆっくりと溶かされますが、それが外気によって凍ります。これをくり返すことで、長く太いつららができあがります。

軒先のつららは落ちると危険です。つららによる事故は毎年何件か起こっていますが、雪国にはそれを防止するためのつらら落としという道具があります。

Q

身近に「てこの原理」を
利用したものってある？

ピアノは弾かずにいると、音程が下がっていったり、整調が乱れたり、金属部分の錆が進行したり、弦が切れやすくなったりする可能性があります。定期的なメンテナンスである調律が必要になります。

A

はさみ、洗濯ばさみ、
ピアノの鍵盤などがそうです。

はさみは、指を入れるところが力点、はさみが交差するところが支点、紙を切るところが作用点になります。洗濯ばさみは、つまむところが力点、つながるところが支点、挟むところが作用点です。ピアノは実際の動きがふたに隠れてしまっていて見ることができませんが、てこの原理を利用しています。鍵盤を押すと、鍵盤とつながっているハンマーが上がり、弦をたたいて、弦がふるえて音がでるのです。ハンマーが作用点、鍵盤をたたく指が力点になります。鍵盤の手前を押すほうが軽い力で音を出すことができます。

小さな力でも、
大きな力に変えられる。

力点、支点、作用点を使い、通常より少ない力で、
ものを動かしたりすることができるのが、てこの原理です。
力を加えるところが力点、支えるところが支点、力が作用するところが作用点です。
探してみると、てこの原理を利用しているものは身近にいろいろとあります。

① てこの原理を発見したのは誰？

A 浮力を発見したアルキメデスです。

古代ギリシャのアル
キメデスが、てこの原
理も発見しました。こ
の原理を応用した投
石器は当時の戦争
において大きな威力
となりました。

てこの原理を利用した投
石器。てこの原理を用い
ることで、重さ500kgの
石を投げることができたと
いわれています。

② 支点の位置を変えるとどうなるの？

A 作用点に働く力の大きさが変わります。

支点と作用点の間を短くし、支点と力点の間を長くすると、より小さな力で動かすことができるようになります。逆に
支点と作用点の間を長くし、支点と力点の間を短くするとより大きな力が必要になります。

③ 支点・力点・作用点の関係を教えて！

A 「おもりの重さ×支点から作用点までの距離」より、
「加える力の大きさ×支点からの力点までの距離」が
大きくなれば、おもりは動きます。

棒のある1点を支えにして、棒の一部に力を加え、ものを持ち上げたり、動かしたりするものを「てこ」といいます。

支　　点：棒をささえるところ。動かない。
力　　点：力を加えるところ。
作用点：ものに力が働くところ。おもりの位置。

支点から力点までの距離、支点から作用点までの距離をいろいろと変えてみると、重いものを楽に持ち上げるには、支点から力点までの距離を長くし、支点から作用点までの距離を短くすればよいことがわかります。

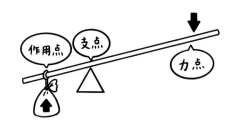

重さと支点と力点の関係。

④ てこの原理についてもっと教えて！

A スプーン曲げもできるようになります。

超能力のテレビ番組などでよく見るスプーン曲げですが、コツをつかめば誰でも簡単にできます。超能力ではなく、てこの原理を使っているのです。

① スプーンを人差し指にのせてバランスのとれる場所を見つける。
② スプーンを縦にして裏側を自分に向けて、①の点から少し下を左手の親指と人差し指で持つ。
③ 柄の部分を、左手の中指、薬指、小指で支える。
④ スプーンの頭を右手の人差し指で、力をぐっと入れて手前に曲げる。

スプーンの頭、柄の端、持つところの3点が、それぞれ力点、作用点、支点となっています。作用点が動こうとするのを指で押さえているので、曲がるところに負荷がかかるのです。

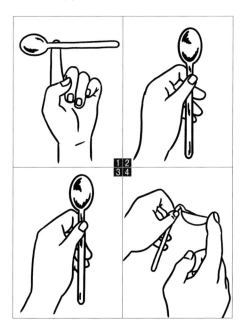

Q
タッチパネルの仕組みを教えて！

タッチパネルの反応が悪くなったときは、指の乾燥を改善するほか、指の腹でしっかり触れるようにしたり、画面の汚れを拭くなどしたりすることで改善することができます。

A

表面の静電気を
利用しています。

タッチパネルのなかには、多数の電極が並んでいます。タッチパネルに指で触れると指に静電気が流れ（吸い取られ）、センサーがどこの静電気が吸い取られたかを認識しているのです。手袋をしていると反応しないのは、静電気を吸い取ることができないからです。また、指が乾燥していて静電気が通りにくいと反応が鈍くなります。

パチッとするのはイヤだけど、
実はいろいろ活躍しています。

静電気は、冬場などにパチッとしてイヤなものですが、
日常生活に欠かせないタッチパネルの操作には必要不可欠です。
静電気を使えば、磁石みたいにピタッとくっついたり、引き寄せたりすることもできます。

⏻ そもそも静電気って何？

A　ものとものの摩擦で起こる電気のことです。

ものの摩擦によって、飛び出した電気が静電気です。電流としては、とても弱いので機械を動かしたりする力はありません。

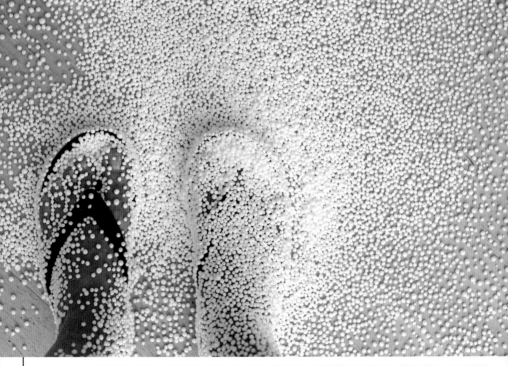

静電気によって細かい発泡スチロールがくっついた足。発泡スチロールは静電気がたまりやすく、写真のようにくっつくことがあります。ドアノブなどに触れたとき、身体にたまった静電気が放電され、パチッと感じることがありますが、それを防ぐには、コンクリート、ドア、壁などを手のひら全体で触り、身体にたまった静電気をこまめに放電しておくとよいでしょう。

② 静電気でものがくっついたりするのはなぜ？

A プラスとマイナスの
性質があるからです。

静電気には、プラスの性質とマイナスの
性質があり、磁石のS極とN極のようにプ
ラスとマイナスが引き合う性質があります。
洋服を風船でこすると、風船が服や机な
どにペタッとくっつくのはそのためです。

髪の毛の静電気を抑えるには、髪の湿
度を保つため、保湿力の高いシャンプー
を使ったり、天然毛ブラシやつげ櫛を使っ
て摩擦を抑えたりすると効果的です。

③ 静電気についてもっと教えて！

A 洋服でこすった風船を流れる水に近づけると、
水が曲がります。

風船にマイナスの静電気があると、水のなかのプラスの性質と引き合い、風船に近づくように水が曲がります。

風船が濡れると、その部分に帯電
していた静電気が逃げてしまい、
水は曲がらなくなります。

④ 雷はどのくらいの電圧なの？

A 約1億ボルトです。

これは100Wの電球90億個分に相当し、一般家庭の約50日間の電力をまかなえるほどです。雷が通過する
空気の通り道は、一瞬で30000℃まで上昇しますが、これは太陽の表面温度（6000℃）のなんと5倍。これだ
けのエネルギーがあるので発電などに生かしたいところですが、雷は一瞬で空気中に逃げてしまうので、貯めること
ができません。

Q

電線に止まった鳥が
感電しないのはなぜ？

止まった鳥が2本の電線をそれぞれの足でつかんでしまうと、回路がつながって感電してしまうことがあります。

A
同じ電線をつかんでいるからです。

電線はいろいろありますが、家庭用でも電圧100Vで流れています。そこに止まっていても感電しないのは、同じ電線をつかんでいるから。電気が流れるには、回路が必要です。豆電球が光るためには、乾電池のプラス極とマイナス極を導線でつなぎ、その間に豆電球をつなげることで、回路がつながり豆電球は光ります。同じ電線をつかんでいる鳥は回路がつながっていないので感電しないのです。

現代社会には欠かせませんが、使うときには心配にもなります。

ときには死に至ることもある感電。
コンセントに金物を差し込んで感電してしまうこともありますが、
ほかにも感電が気になるシーンは意外とたくさんあります。

① 静電気では感電しないの？

A 微々たる電気なので大丈夫です。

静電気の電圧は、数千〜数万V。このくらいあると、
私たちが「パチッ」と感じ取ることができます。家庭
用コンセントは100Vなので10倍以上の電圧です。
しかし、静電気の電流は微々たるものなので、体に
感じても体への危険はほとんどありません。

感電事故の多くは、電線や機器に触れて電流が人間の体を
通って地面に流れてしまうことで起きます。

② 電気自動車が浸水すると、感電するの？

A 感電を防ぐ仕組みになっています。

電気自動車は、高圧大容量電池を搭載しています。
そのため、浸水したら、漏電したら……と気になると思い
ます。しかしハイブリット車や日本メーカーの電気自動
車による感電事故はいまのところありません。ショート
や漏電を感知すると、装備されている高性能ブレーカー
によって電気をシャットダウンする仕組みになっているの
です。電池本体も水や衝撃に強い構造になっており、
衝突事故にも耐えることができます。

充電は満タンにするとむしろ電池に負担が
かかり、劣化の原因になります。

電気工事をする場合、非静電性のゴム底の安全靴を使用することで感電を防ぐことができます。

③ 安全靴を履いていても感電するの?

A 静電靴だと感電します。

安全靴は、つま先を防護するもので、滑り止めを備えている靴のこと。いろいろな職業の人向けに種類があります。そのなかに静電気を地面に逃がす効果がある静電靴があります。ガソリンスタンドなどのように静電気による火気に注意しなければならない職業の人が履くものです。逆にこの静電靴を電気工事の人が履いてしまうと、電気が流れる部分に触れたときに静電靴を通って地面まで電気が流れてしまい感電してしまいます。そのため、電気工事の人が静電靴を履くと感電の恐れがあるのです。

④ 感電すると、骨が透けるの?

A 透けません。

アニメやマンガなどで、感電した人の骨が透けている様子を見たことはないでしょうか。これはあくまでもアニメやマンガの表現なので、実際には骨が透けて見えることはありません。

Q コップに入ったストローが
曲がって見えるのはなぜ？

右端のコップを見ると、スト
ローが水面の先からやや曲
がって見えるのがわかります。
ストローが曲がって見えている
部分は、水面で光が屈折し
て曲がって進むからです。

A 光の屈折のためです。

水の入ったコップにストローを入れると、ストローが曲がって見えま
す。これは、空気と水の屈折率が違うため。光の屈折により水と
空気の境目で曲がって見えるのです。

見え方が変わるのは、
屈折する性質が光にあるから。

光は、まっすぐに進むだけでなく、
屈折することもあれば、反射することもあります。
見えるはずが見えなかったり、見えないものが見えてきたりするのはそのためです。

① 水中から水面を見ると
外の景色が見えないのはなぜ？

A　光が全反射しているからです。

水のなかから、空気中（水面）に向かって光が斜めに進むとき、水と空気の境界面で屈折して曲がります。このとき、光の向く角度がある程度以上になると、光が全反射し、水面上に出て行かなくなります。このような性質があるため、水中から水面を見上げたときに、水面上の限られた範囲にしか外の景色が見えなくなるのです。

海が青く見えるのは、青い光だけが海のなかで散乱するからです。

② 水のなかにガラス玉を入れると、
見えなくなるのはなぜ？

A　屈折率が同じためです。

ものが見えるのは、ものの表面で光が反射するからです。空気中のガラスが見えるのは空気とガラスの屈折率が違うため。表面で光が反射して、ガラスが見えています。ところが、水や油などの液体とガラスなどの屈折率が同じになると、光の反射が少なくなり消えてしまったように見えるのです。

③ 島が浮いて見えることがあるのはなぜ？

A これも光の屈折が関係しています。

大気は密度や温度によって、屈折率が異なります。密度が小さい温かい空気と、密度が大きい冷たい空気の境目を光が通るときに光が屈折し、遠くの島が浮いているように見えることがあるのです。

遠くから届く光が大気の境目などで屈折し、景色が通常とは違って見えることがありますが、これは蜃気楼（しんきろう）と呼ばれる現象です。

④ 景色が湖の水面に きれいに映ることがあるのはなぜ？

A 鏡面反射が起こっているからです。

自分と景色の間に湖や池があるとき、景色が水面に反射してきれいに見えることがあります。風がなく、水面が揺れずに平らな面になると、鏡面反射（光が光沢のあるところに当たり鏡のような反射をすること）が起こるためです。水面が波立っていたりすると景色がきれいに映ることはありません。

逆さ富士が見えるポイントとして有名なのは、
波が比較的穏やかな山梨県の富士五湖。

Q
しゃぼん玉の表面は、
なぜ色が変わるの？

しゃぼん玉が割れるタイミングは、膜の水分が蒸発して薄くなったとき。膜が薄くなると虹色から、黄色っぽい色味になり、最後は透明になります。

A
光の干渉のためです。

しゃぼん玉の薄い膜の外側と内側ではそれぞれ光を跳ね返します。膜の厚さによって、反射された光の重なる様子は変わります。光の波の山と山、谷と谷が合ったとき、その光は明るく反射します。逆に、山と谷が重なってしまうと光は反射しません。しゃぼん玉の膜の厚さと光の色（波長）が関係して明るくなる色と暗くなる色の条件が変わります。膜の微妙な変化によって色が変わって見えます。また、色が動いて見えるのは、風によって膜の厚さが変わっているからです。暗い部屋でしゃぼん玉を見ると虹色には見えません。

しゃぼん玉の薄い膜に、秘密が隠されています。

太陽の光や風によって、しゃぼん玉の薄い膜の厚さが変化し、
色が変わったり、色が動いたりして見えます。
工夫をすれば割れにくいしゃぼん玉だって作ることができます。

① しゃぼん玉は、なぜ丸いの？

A 膜の表面積を最小にしようとするからです。

水は表面張力（液体がその表面積をできるだけ小さくしようとする力）が強くて、膜になる前に割れてしまいます。水と石鹸（洗剤）が混ざることで表面張力が弱まって膜ができやすくなります。膜の表面には、石鹸のつぶが並んでゴムのような働きをします。膜の表面積が最小になるようにしゃぼん玉が形を変化させた結果が、丸い形なのです。

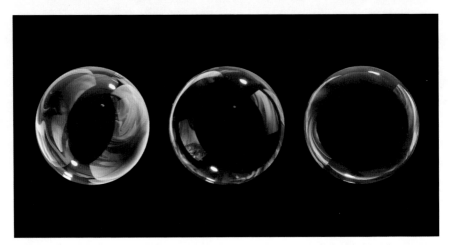

しゃぼん玉液を吹くストローの形が、丸くても、星型でも、膨らむしゃぼん玉の形は、丸になります。

② 割れないしゃぼん玉って作れるの？

A 割れにくいものは作れます。

洗剤と水があれば、しゃぼん玉液を作ることができますが、割れやすかったり、大きなしゃぼん玉が作れなかったりします。割れにくいしゃぼん玉液は、食器用中性洗剤、洗濯のり（PVA）、グリセリンを入れて作ります。食器用中性洗剤に含まれる界面活性剤がポイントで、洗剤の種類によって膜にできる光の濃さも変わってきます。割れにくくするために粘りのある洗濯のりを使いますが、PVA（ポリビニルアルコール）と書いてあるものを選びましょう。しゃぼん玉液の粘性を高めることで水分蒸発を防ぐ効果のあるグリセリンがないときは、ガムシロップや砂糖で代用できます。

しゃぼん玉が割れにくい環境ってある？

A 湿度が高いと、割れにくいです。

しゃぼん玉が割れる主な原因は、空気中のチリやほこりにぶつかったり、しゃぼん玉液の水分が蒸発したりするためです。雨が降っていると、空気中のチリやほこりが少なくなり、湿度も高くなるので水分も蒸発しにくく、結果としてしゃぼん玉が割れにくくなります。

---

④ ヒビが入っているガラスや宝石が、
虹色に見えることがあるのはなぜ？

A ヒビの両側の壁が、
しゃぼん玉の膜くらいの隙間になるからです。

しゃぼん玉の膜の厚さは、数ナノメートル（10億分の1m）から数ミクロンです。ガラスや宝石に入ったヒビがしゃぼん玉の膜と同じくらいの隙間を作ると、ヒビの両側が壁となって光を反射して、それが重なり合い干渉を起こすのです。虹色に光って見えるのはそのためです。

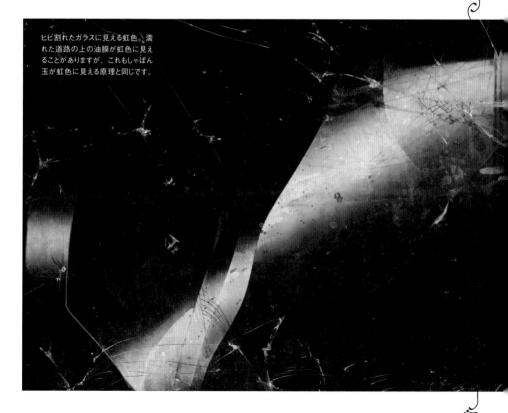

ヒビ割れたガラスに見える虹色。濡れた道路の上の油膜が虹色に見えることがありますが、これもしゃぼん玉が虹色に見える原理と同じです。

軽く息を吹きかけると表面の模様がくるくると動きます。

しゃぼん玉に光をあててみよう

しゃぼん玉の表面をよく見ると、色がくるくると変わっていることがわかります。しゃぼん玉の膜はとっても薄いので、風の力を受けて表面が動くのです。素手で触れると割れてしまうしゃぼん玉ですが、手袋を使うと弾ませることもできます。

● 色が変化するしゃぼん玉

〈用意するもの〉
ライト（コードのない、オンオフしやすいライトがおすすめ）、画用紙、透明な下敷き、しゃぼん玉

〈やり方〉
①ライトをぐるりと囲むように画用紙を丸めてリング状にする。高さは、用意したライトより少し高くする。
②リング状にした画用紙の上に下敷きをのせ、その上にしゃぼん玉をのせる。

下からライトを当てることで、しゃぼん玉の表面の観察ができます。縞模様が乱れたり、頂上が黒くなったりなど、さまざまな変化をします。

● しゃぼん玉を持って弾ませてみよう

しゃぼん玉はアクリル繊維の手袋を着けることで、風船のように手で弾ませることができます。繊維が細かく毛羽立っているので、しゃぼん玉が接する面が分散されることで割れにくくなるのです。手袋が湿ってくるとしゃぼん玉が割れやすくなるので、乾いたものを使いましょう。

● 何回弾ませられる？
どのくらい弾ませることができるのでしょうか。平均して50回以上。100回くらいいくこともあります。麻布科学実験教室では、最高で250回という記録も。チャレンジしてみませんか。

Q

電車がガタンゴトンと
鳴るのはなぜ？

A

レールにある
隙間のためです。

電車のレールには、一定区間ごとに1cmほどの
隙間があり、ここを通るときにガタンゴトンと振動
や音が鳴ります。この隙間は、太陽の熱で鉄が
膨張したときにレールがゆがまないようにするた
め。隙間がないと、鉄が膨張したときにレールが
ゆがみ、電車が脱線する恐れがあるのです。

電車のレールの幅はすべてが
一緒ではありません。在来線
のレール幅と新幹線のレール
幅は違うので、普通は両方を
走行することはできません。
山形新幹線と秋田新幹線は、
在来線のレール幅を広げてそ
ろえたため、新幹線の直通が
可能です。ただし速度は在来
線と同じになります。

膨張したり、縮んだり、
身近にある金属の不思議。

熱によって、金属は膨張や収縮をします。
見た目には大きく形を変えていなくても、
ちょっとした変化は、身近なもので感じることができます。

Q 新幹線では、
ガタンゴトンと感じないのはなぜ？

A つなぎ目がスムーズなロングレールを使用しているからです。

新幹線のレールのつなぎ目は、数kmごとにありますが、角度が浅く斜めにカットされているので、レールとの隙間に段差ができにくくなっています。ロングレールを採用することで、振動や騒音の問題を解消しているのです。ちなみに、東北新幹線の盛岡と八戸間の60kmが、国内最長のロングレールです。

日本の新幹線の安全性は世界でもトップレベル。線路の検査をするドクターイエローという検測車を小まめに走らせてチェックしています。

② シンクにお湯を流すと、ボコッと鳴ることがあるのはなぜ？

A お湯があたることで、瞬間的に膨張するからです。

シンクの素材は、ステンレスやアルミニウムです。そこにお湯があたると、瞬間的に金属が温められて反りあがり、ボコッという音が鳴ります。ちなみに何度もこれをくり返すと、シンクの劣化につながることもあります。

---

③ ジャムの瓶のふたが硬くて開かないことがあるのはなぜ？

A 瓶内の気圧が低いからです。

ジャムなどは、瓶詰したあと、加熱して低圧状態にします。そうすることで、中身が空気と触れて酸化するのを防止しているのです。この瓶の内側と外側の気圧差が開かない理由です。また、1度開けた瓶でも、冷蔵庫に長く入れていると中の空気が冷えることで気圧が低くなってしまい、ふたが開けにくくなります。開けにくいときは、ふたの隙間にスプーンなどを差し込んで、瓶内に空気が入るようにすると、気圧差がなくなり簡単に開けることができます。

開かないふたを開ける裏技として、ほかにも「瓶の底をたたいてふたに振動を与えて開ける」「ふたに輪ゴムを巻き付けてすべり止めとして開ける」などの方法があります。

Q
リニアモーターカーって、
なんで浮かぶの？

リニア中央新幹線の開通は東京〜名古屋間が2027年、名古屋〜大阪間が2037年を予定しています。

A

磁石の性質を利用しています。

リニアモーターカーは、時速500kmで東京と大阪を約1時間で走ることができます。磁石のS極とN極の引っ張り合いと反発する性質を利用し、車両を10cm浮かして走ることで速いスピードを出すことができます。リニアモーターカーに使うのは、とても強力な超電導磁石です。

くっついたり、反発したり、
重たいものでも動かす力がある。

磁石には、S極とN極があって、くっついたり反発したりします。

強い磁石を使って、鉄を磁石にすることもできます。

リニアモーターカーのような重たいものも浮かせることができるほどの力も持っているのです。

Ｑ 身近にある磁石を使ったものを教えて！

Ａ スピーカー、モーター、電子レンジなどがそうです。

私たちの生活に磁石は欠かせません。かばんの留め具、スピーカー、電子レンジ、モーターなどで磁石は使われています。スピーカーは、コイルと磁石により振動が起こり音となります。電子レンジは、磁石によりマイクロ波が出て温めたりすることができます。とくにモーターは、家電や電気自動車などさまざまなところで活躍しています。

コイルに電気を流して電磁石にします。電磁石にも磁石と同様にS極とN極があり、このくっついたり反発したりする力を回転させる力に変えてモーターを動かします。

② 世界でいちばん強い磁石は？

A ネオジム磁石です。

一般的な磁石であるフェライト磁石の10倍以上の強さを持ちます。医療機器、通信機器、センサー、ロボット、電気自動車などに使われています。

③ 磁石はどうやって作られるの？

A 非常に強い磁石に鉄をつけて作ります。

鉄には、強い磁石につけたり、こすったりすると磁石になる性質があります。磁石にクリップをつけると磁石になり、そのクリップにほかのクリップをつけるとくっつきますが、これは磁石にくっついたクリップが磁石に変化したからです。鉄は、原子の向きがバラバラですが、そこに強い磁石をつけることで、原子の向きがそろい磁石へと変わるのです。磁鉄鉱は、もともと磁石の性質を自然にもっている鉱物です。

昔は職人による手作業で磁石を作っていました。天然磁石を用いたり、S極N極に銅を近づけて磁石にしたり、地球上の磁石の力がたまっている磁場を利用して作っていました。

④ 棒磁石を半分に切ると、S極だけ、N極だけになるの？

A どこで切り離してもS極・N極が生まれます。

S極・N極と分かれている棒磁石を、ちょうど真ん中で切るとどうなるのでしょうか。切り離した瞬間に、それぞれS極・N極のある2つの磁石となります。磁石は、小さな磁石が整列しているので、どこで切っても磁石になります。S極だけ、N極だけという磁石はできません。

磁石をどんどん小さくしていくと、一辺が15ナノメートル（1ナノメートルは、1mmの100万分の1）の立方体になります。

Q

紙に書いた鉛筆を
消しゴムで消せるのはなぜ?

濃い鉛筆などを使うデッサンのときは、通常の消しゴムでは吸着しきれない黒鉛で紙が汚れないように、練り消しゴムを使います。練り消しゴムは粘土のようにやわらかく、消したいところに押し付けて黒鉛を吸着します。

A
黒鉛を包んで消しています。

鉛筆で書くということは、紙の表面に鉛筆の芯の粒（黒鉛）を並べているということができます。紙の上に芯の黒鉛がついているだけなので、それを消しゴムで包み込むことで紙から取り除いているのです。

もっとも身近な筆記用具は、かつて将軍への献上品でした。

1560年代に生まれた鉛筆は、改良をかさねていまの鉛筆の形となりました。
日本では、徳川家康に鉛筆が献上された記録が残っています。
鉛筆は改良され、当時よりも書き心地がよく持ちやすいものになりました。

Q 鉛筆が六角形なのはなぜ？

A 机の上で転がらないようにするためです。

鉛筆は六角形、色鉛筆は円柱形が一般的でした。八角形や平べったいものなどいろいろな形を経て、現在の六角形となりました。理由は、机の上に置いたときに転がらないようにするため。また持ちやすくするためです。色鉛筆の芯は、強度が低いので六角形にはしにくく、円柱形が普通でしたが、最近では強度の増した芯もあり六角形の色鉛筆も売られています。

大手色鉛筆メーカーの平均色数は120色。BRUTFUNERという海外のメーカーでは最大520色のものがあります。

鉛筆の芯の黒鉛はダイヤモンドや石炭の仲間。天然鉱物で、主に中国から輸入しています。

鉛筆の「H」「B」「F」ってどんな意味？

A 芯の硬さや濃さを意味します。

鉛筆の芯は、黒鉛と粘土を混ぜて作られているのですが、その割合で種類分けをしています。Hはハード（硬い）で芯が硬くて黒は薄く、Bはブラック（黒い）で芯がやわらかくて黒は濃く、Fはファーム（しっかりした）でHとHBの合間の硬さと濃さです。一般的によく使われるのはHBで、HとBの合間の硬さと濃さになります。9H、8H、7H、6H、5H、4H、3H、2H、H、F、HB、B、2B、3B、4B、5B、6Bの17種類があります。

消しゴムっていつからあるの？

A 約250年前に商品化されました。

昔は、パンを消しゴムとして使っていました。1770年にイギリスの化学者プリーストリーが天然ゴムで鉛筆で書いたものを消すことができる性質を発見しました。日本には、明治のころに輸入され、その後、国内で製造されるようになりました。生ゴムにイオウや植物の油を混ぜて作っていましたが、最近では塩化ビニール樹脂が原料のプラスチック消しゴムが主流となっています。

Q
砂はどうやってできるの？

A
岩石や鉱物が
小さく砕けてできます。

岩が長い年月をかけて自然に砕けたり、削られたりしてとても細かく小さくなっていき、それが砂となります。沖縄などのサンゴ礁のある海の砂浜の砂は、サンゴや貝殻が砕けたもので、ウニのとげや有孔虫の殻などが細かく砕けているので、白い砂浜になります。

砂浜は、陸と海を隔てる場所。
波や風によって砂が運ばれて
きます。日本はまわりを海に囲
まれた島国なので砂浜が作ら
れやすいのです。

岩が砕けて削られて、
どんどん小さくなって砂になる。

公園の砂場、海の砂浜、砂漠などなど、
砂は、身近ないろいろなところにあります。
もともとは大きかった岩がこんなにも小さくなっているのです。

① 砂の定義ってあるの？

A つぶの大きさによって決まります。

風化などで細かく砕けた岩石の
うち、2〜1/16mm（0.0625
mm）の大きさのものが砂です。
砂は触るとザラザラしています。
2mmより大きいものは礫（れき
／小石）、1/16mmより細かい
ものは泥と呼ばれています。礫
は触るとごろごろとしていて、泥
はサラサラとしています。

砂は秒速10mよりも強い風が吹くと
地表をころがります。もっと小さい砂
粒は、秒速5mでころがります。

② 鳴き砂って何？

A 砂浜を歩くと「きゅっきゅっ」と鳴る砂のことです。

鉱物である石英の割合が多く、形や大きさが整っていて、異物が付着していないきれいな砂粒が、きれいな水や空
気で洗われると、表面の摩擦が極端に大きくなります。そんな砂粒を触れたり踏んだりすると、砂粒が動いて摩擦
で音が鳴ります。普通の砂が混ざったり、砂粒の表面が汚れてしまうと、音は鳴りません。鳴き砂は、日本では宮
城県の十八鳴浜や石川県の琴ケ浜など100箇所以上あります。

車の走れる砂浜の道路ってある?

A　石川県の千里浜は、車道となっています。

石川県の能登半島の付け根に広がる8kmの千里浜は、石英、長石、輝石などの粒の大きさがそろった硬く締まった砂でできています。そのため自動車が走れる砂浜として知られています。

鳥取砂丘の砂ってどこから来たの?

A　中国山地です。

中国山地の岩石が風化作用でもろくなると、砂になります。砂は雨で川に流されて日本海へと流れていきます。日本海の海底に堆積した砂は、波の動きなどで再び岸へと打ち上げられ、打ち上げられた砂は、北西の風で内陸に運ばれました。長い年月をかけて、これらをくり返すことで、鳥取砂丘ができあがったのです。

鳥取砂丘の砂は持ち帰ることが禁止されています。自然公園法により、6カ月以下の懲役または50万円以下の罰金が処されます。

Q

水晶がみんな同じような
形をしているのはなぜ？

A

原子や分子が
規則正しい形で並ぶことで、
形成されるからです。

水晶は、1mm成長するのに約100年かかります。水晶の結晶は、三方晶系という形で、柱面同士は常に120度で隣り合わせていて規則正しく並んでいます。冷えて固まるときのスピードで、結晶の大きさが決まります。

無色透明の水晶のほかに、
色のあるもの、ほかの鉱物が
入ったもの、多結晶（細かい
水晶の結晶が集まったもの）
などがあります。

気の遠くなる年月をかけて、自然が作り上げる芸術品。

水晶などに代表される鉱物は自然が作り出した芸術品。
ゆっくりと歳月をかけて成長することから、
古来よりパワーストーンなどとしても重宝されてきました。

水晶はどうやってできるの？

A 珪酸の溶けた熱水が冷えて固まってできます。

地下深くで高温の熱水に溶け込んだ珪酸が温度や圧力が下がることによって小さな結晶となりゆっくりと成長していきます。200℃以上の熱水がゆっくりと冷えていくと、取り囲む岩盤に十分なスペースがあれば大きな水晶になります。

水晶は日本の各地で産出しています。山梨県甲府市は、水晶発掘の古い歴史があります。

② 水晶ってクリスタルと同じもの?

 A クリスタルは水晶ではなく、「結晶」という意味です。

水晶をクリスタルと呼びがちですが、水晶は石英（クオーツ）が透明で大きく結晶しているものをいいます。

---

③ おもしろい鉱石を教えて!

A パイライト（黄鉄鉱）、ビスマス鉱石、オパールなどはどうでしょう。

おもしろい形や変わった色のものなど、いろいろな鉱物があります。人工的な立方体のカットのようにも見えるパイライトは、もちろん自然にできた形です。ビスマス鉱石は虹色の幾何学模様の結晶が美しく、オパールはさまざまな色味に輝きます。ほかにも隕石の中でもレアな石鉄隕石であるパラサイト隕石などもおもしろい鉱石です。

オパール

パイライト（黄鉄鉱）

ビスマス鉱石

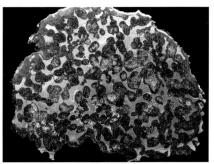

パラサイト隕石

塩を使って
実験してみよう

食卓に欠かせない食塩は、実験するのにも身近な材料です。比較的簡単に結晶を見ることができ、さらに結晶を育てることもできます。結晶とは、物質の粒子が規則正しく並んだ固体のこと。また、食塩は固めて削ったり、着色したりすることもできます。

黒い紙に映える食塩の結晶。

● 塩で絵を描く

黒い紙に、濃い食塩水をたっぷりつけた筆で字や絵を描きます。自然乾燥させて、水分を蒸発させると、食塩の白い結晶が見えてきます。ルーペなどで観察し、結晶の形を見てみましょう。

大きな結晶を粉砕したもの。

やわらかくて、溶けやすい凝集晶。

● 塩の結晶を育てる

〈用意するもの〉
アルミの針金、タコ糸、食塩、沸騰した湯、耐熱性の容器、
発泡スチロール（容器が入るサイズ）

〈やり方〉
①アルミの針金にタコ糸をまいてから、好きな形を作る。
②容器に沸騰した湯を入れ、食塩を加えて溶かす。食塩が溶けずに底に残るくらいまで溶かす。
③②の食塩水に①を入れて、容器ごと発泡スチロールの中に入れる。発泡スチロールで保温しながら自然に冷やす。

数日ほどで結晶が育つので、ルーペなどでできた結晶を見てみましょう。

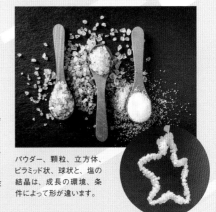

パウダー、顆粒、立方体、ピラミッド状、球状と、塩の結晶は、成長の環境、条件によって形が違います。

● 塩を押し固める

〈用意するもの〉
食塩、水（食塩100gに対して17mlの割合）、
フードプロセッサー（または、すりばち）、
製氷皿（お菓子の型、紙コップでも）、ボウル、割りばし

〈やり方〉
①食塩をフードプロセッサーなどで細かくすりつぶす。
②ボウルに食塩と水を入れ、よく混ぜる。
③型などに②の食塩を少しずつ入れて、割りばしでついて固める。すみずみまでしっかりと隙間なくつめたら、風通しのいいところで1週間ほど乾かす。
④③が乾いたら、型から外し、さらに2週間ほどしっかりと乾かす。
⑤水分がなくなったら、絵の具で色をつけたり、彫刻刀やカッターなどで削り、好きな形に仕上げる。

ポーランドにあるヴェリチカ岩塩抗の聖キンガ礼拝堂。ヴェリチカの鉱夫たちが仕事の合間に彫ったとされています。

食塩に少しの水を混ぜると、食塩の結晶のまわりが湿って溶け、他の結晶とまわりが固まる固結という働きが起こります。これを利用すれば食塩で彫刻が作れるのです。容器に入れた食塩が湿ってしまい、いつのまにか固まりになっていたりするのと同じです。固まってしまった食塩は、水分をとばして乾燥させるともとのサラサラな状態に戻ります。

索引

〈参考サイト〉

文部科学省　学習指導要領
https://www.mext.go.jp/a_menu/shotou/new-cs/senseiouen/1304651.htm
学研キッズネット　https://kids.gakken.co.jp/

〈写真クレジット〉

28p(セミ)　akiyoko ／ PIXTA(ピクスタ)
71p　　　sablinstanislav ／ PIXTA(ピクスタ)
78p　　　gonbe ／ PIXTA(ピクスタ)
79p　　　Flatpit ／ PIXTA(ピクスタ)
82p　　　kai ／ PIXTA(ピクスタ)
93p上　　©TAKASHI KATAHIRA／SEBUN PHOTO ／amanaimages
※そのほかの写真は、Adobe Stock、Shutter Stock

〈スペシャルサンクス〉

麻布科学実験教室の生徒さん

久住与生さん

市川みな美さん

阿部昌浩（あべ　まさひろ）

麻布科学実験教室・室長。1957年生まれ。東海大学海洋学部修士課程を卒業後、
㈱創造教育センターに入社。理科実験専門の教室『麻布科学実験教室』の講師とな
り、現在、同教室の室長を務める。父は教育評論家・阿部進（故人）。
幼児期における自然科学教育の研究と普及にも取り組み、幼児教育者対象の講習会、
幼児対象の『科学あそび』の実践を精力的におこなっている。
『所さんの目がテン!』『なりきり!むーにゃん生きもの学園』『なないろ日和』など、テレ
ビ出演も多数。
著書『やりたいときにすぐできる!　科学あそび』『夢いっぱいの科学あそび』（ともにメ
イト）。

麻布科学実験教室

1978年4月に東京都港区にて科学実験専門の教室として開室、2022年度に45年目を迎えた。幼児年少〜小学6年生を対象に、さまざまな分野の実験を中心とした授業を行なっている。また、野外観察教室や自然観察合宿も実施。
開室時からの「ひたすら実験を続けることで、子どもたちの瞳の中に好奇心を、大いなる関心を、そして感動を呼び込みたい」「子どもたちが自分自身の手で実験をしてこそ、科学の本質を学ぶことができる」という思いは、現在も続いている。

（株）創造教育センター　麻布科学実験教室
〒105-0011港区芝公園3-6-23　光輪会館2階
TEL 03-6402-5726
メールアドレス　souzou@azabu-cec.com
ホームページ　http：//www.azabu-cec.com

メールアドレス　　ホームページ　　 ▶ YouTube

☆チャンネル登録を
お願いします！

世界でいちばん素敵な
理 科 の 教 室

2023年 3 月 1 日　第 1 刷発行

監修・文	阿部昌浩（麻布科学実験教室 室長）
編集	石島隆子
写真	アマナ、Adobe Stock、Shutterstock、PIXTA
イラスト	山本和香奈
装丁	公平恵美
装丁写真	中村年孝
デザイン	東京100ミリバールスタジオ
発行人	塩見正孝
編集人	神浦高志
販売営業	小川仙丈、中村崇、神浦絢子
印刷・製本	図書印刷株式会社
発行	株式会社三才ブックス
	〒101-0041
	東京都千代田区神田須田町2-6-5 OS85'ビル
	TEL：03-3255-7995
	FAX：03-5298-3520
	http://www.sansaibooks.co.jp/
mail	info@sansaibooks.co.jp
facebook	https://www.facebook.com/yozora.kyoshitsu
Twitter	@hoshi_kyoshitsu
Instagram	@suteki_na_kyositsu